Les dragons de Nalsara

15

• L'envol du schrik •

© 2012, Bayard Éditions
Dépôt légal : juillet 2012
ISBN : 978-2-7470-3789-1
Mise en page : Rachel Bisseuil
Tous droits réservés. Reproduction même partielle interdite.
Loi n° 49-956 du 16 juillet 1949 sur les publications à destination de la jeunesse.
Première édition
Imprimé en Allemagne par CPI - Clausen & Bosse
Achevé d'imprimer en juin 2012

Marie-Hélène Delval

Les dragons de
Nalsara
15

• L'envol du schrik •

Illustrations d'Alban Marilleau

bayard jeunesse

Mélisande

Hadal

Darkat

Nastrad

Viriana

Prologue

Très loin de Nalsara,
au Royaume des Dragons

Après les tragiques événements de la nuit, les dragons sauvages ont remis de l'ordre dans leur cimetière. Les squelettes renversés ont été relevés. L'un des plus grands, restes vénérés d'une puissante créature, se dresse de nouveau dans toute sa majesté. Ses ossements blanchis par le temps, lissés par les vents, luisent comme de l'ivoire. Hélas ! une de ses pattes est incomplète. La griffe manquante y laisse un vide, que tous contemplent avec consternation.

« Êtes-vous sûrs, commence l'un des Anciens, que la strige s'en est emparée ? Elle a pu la laisser tomber à l'eau en s'enfuyant… »

Le dragon qui vient de faire cette triste découverte secoue la tête :

« Non. Nous avons scruté les profondeurs. Rien. Aucune trace de la griffe. »

Un autre s'écrie :

« Poursuivons la voleuse ! On peut encore la rattraper ! »

Nhâl déclare alors d'un ton lugubre :

« Il est trop tard. »

« Comment cela ? » s'étonne Selka.

« Vous n'avez donc pas senti à quelle vitesse surnaturelle la strige a disparu ? Son maître l'a rappelée par magie. Elle a déjà regagné la Citadelle Noire. La griffe est aux mains des sorciers. »

Un silence accablé tombe sur l'assemblée des dragons.

Nhâl poursuit :

« Cependant, sans le secours de Cyd et du jeune Cham, c'est le squelette tout entier qui nous aurait été dérobé. Les Addraks auraient pu transformer les os d'un de nos plus nobles ancêtres en une armée de créatures immondes. Ce désastre nous a été évité. »

« C'est vrai, concède un autre Ancien. Quant à nos amis humains, ils auraient été en grand péril. »

« Ils le sont ! intervient Selka avec véhémence. Vous savez combien nos griffes contiennent de pouvoir ! J'ai vu en rêve l'être épouvantable que la magie noire peut créer avec celle qui a été dérobée. Il avait l'apparence d'un dragon monstrueux, décharné ; un dragon comme il n'en existe pas, et qui va sans doute bientôt voir le jour… »

« Paix, Selka ! reprend Nhâl. Nous partageons ton anxiété, mais nous lamenter ne sert à rien. Cherchons plutôt le moyen de lutter contre les nouveaux sortilèges des Addraks. Peut-être réussirons-nous à empêcher la naissance de cette horreur. »

Déployant ses ailes, le peuple des dragons sauvages décolle dans un bruissement de grand vent. Le soleil levant allume sur leurs écailles des éclats bleus, verts, rouges, émeraude ou violets. Ils virent dans les airs, tel un vivant arc-en-ciel, puis ils rejoignent leur forteresse blanche, environnée de brume, dressée au cœur de l'océan.

Le Conseil des Anciens va puiser dans la science des dragons pour imaginer une contre-attaque. Selka est priée de se joindre à lui, car c'est elle qui connaît le mieux les humains – et les Addraks !

Tout en accompagnant Nhâl et les autres Anciens, la belle dragonne verte songe :

« Et si la griffe volée contenait assez de notre magie pour résister aux sortilèges des sorciers ? Il nous suffirait de renforcer cette magie… »

Cette idée lui rend un brin d'espoir. Allons, tout n'est peut-être pas perdu !

Dragonnier-sorcier

Après l'étrange combat que Cham a mené contre la strige, au Royaume des Dragons, le garçon ne sait plus que penser. Certes, il s'est battu en compagnie de Cyd, son dragon, et avec l'aide des magiciennes. Le sortilège qui a repoussé la créature de fumée, ce sont elles qui l'ont concocté. Il n'empêche… Cham s'est servi d'un mélange de formules… de magie noire !

« Des formules que Darkat m'a apprises », songe-t-il, tandis que Cyd, à grands coups d'ailes, le ramène vers l'île aux Dragons.

En-dessous d'eux, la mer roule sa houle grise, où les premières lueurs du jour allument des reflets roses. La monture ailée file à une vitesse prodigieuse. Pourtant, le garçon a la bizarre impression de vivre un voyage immobile. Depuis qu'ils ont décollé de l'île – n'était-ce pas la veille au soir ? –, le temps semble avoir pris une autre dimension. Leur bataille nocturne a-t-elle duré quelques minutes ou plusieurs heures ? Cham ne saurait le dire. Ils sont partis au coucher du soleil, ils reviennent à l'aube. Ne s'est-il vraiment écoulé qu'une seule nuit ?

Perplexe, il interroge Cyd :

– Le Royaume des Dragons, à quelle distance est-il d'Ombrune et de notre île ?

La réponse ne l'éclaire pas beaucoup :

« La distance varie selon qu'on est un humain ou un dragon… Au matin, nous serons de retour. »

Cham a hâte de retrouver sa mère et les magiciennes, de leur confier des questions trop lourdes pour lui : que vont faire les sorciers avec la griffe volée aux dragons ?

Vont-ils en tirer un de ces êtres terrifiants dont parlaient les élusims, un Dragon Mort ? Comment lutter, alors, contre un monstre d'un genre inconnu ?

Avec un soupir, le garçon s'allonge sur le cou de sa monture ailée et se laisse emporter. Le vent lui siffle aux oreilles. Il devrait être à moitié gelé. Or, il est enveloppé dans la tiédeur d'une bulle invisible. Sans doute émane-t-elle du dragon.

Cham revient à son autre préoccupation : sera-t-il obligé, désormais, d'utiliser la magie noire chaque fois qu'il luttera contre les Addraks ? Cette idée l'angoisse. Selka elle-même, après l'avoir félicité, a eu des mots curieux : elle l'a appelé « jeune dragonnier-sorcier ».

« Je veux être dragonnier, pas sorcier ! » rumine-t-il, tandis que l'île aux Dragons apparaît enfin devant eux.

Cyd ralentit. Cham sent de nouveau sur son visage la fraîcheur de l'air, il retrouve l'odeur salée des embruns. La bulle qui le protégeait s'est dissoute.

Le dragon franchit le rebord de la falaise et se pose avec une lenteur majestueuse.

Dhydra et les magiciennes guettaient anxieusement ce retour. Elles se précipitent.

– Eh bien ? Avez-vous réussi ? interroge aussitôt Dhydra.

– La mixture de sortilèges s'est-elle…

– … montrée efficace ? s'enquièrent Isendrine et Mélisande.

Chacun à sa manière, le garçon et le dragon font le récit de cette nuit dramatique. Tout en les écoutant, Dhydra observe Cyd. Quelle

magnifique créature ! Comment, en si peu de temps, le dragonneau a-t-il pu devenir ce dragon à la musculature puissante, aux griffes tranchantes, aux ailes immenses ?

Cependant, le dragon blanc et son maître ne reviennent pas triomphants. Si leur intervention a empêché le pire, elle s'est tout de même soldée par un échec. Cham ne s'en console pas.

Sa mère s'efforce de le réconforter :

– Une seule griffe ! Imagine si la strige avait rapporté aux sorciers addraks une brassée d'ossements !

Les magiciennes confirment :

— Même s'ils arrivent à créer du vivant avec du mort, ils ne feront pas de cette griffe…

— … une armée. Ils n'en tireront qu'un unique Dragon Mort.

Dhydra renchérit :

— Vous avez agi au mieux. Sans vous, le pays était perdu. La guerre qui s'annonce sera très dure. Nous devrons affronter un deuxième démon, plus terrible encore que la strige. Mais nous ne sommes pas seuls. Souviens-toi, Cham ! Le Libre Peuple est notre allié. Nastrad, leur chef, est un grand chaman. Et il y a Cyd ! Jamais nous n'avons eu à nos côtés un dragon aussi extraordinaire !

Tout cela est vrai. Cependant, Cham n'est pas convaincu. Et il a un autre souci. Il garde en mémoire cette phrase qui lui donne des frissons. Nastrad l'a écrite, les magiciennes l'ont répétée : « Contre la magie noire, il faut parfois user de magie noire. » Cette nuit, c'est ce qu'il a fait. Il en a été capable parce qu'il a du sang addrak dans les veines. Sa mère et sa sœur en ont aussi. Mais lui seul a reçu l'enseignement d'un sorcier. Et si, à cause de ça, il était à jamais contaminé par ce noir pouvoir ?

— Moi, je veux être dragonnier, pas sorcier ! déclare-t-il d'un air buté.

Dhydra l'attire contre elle :

— Tu seras ce que tu dois être, mon fils. Dragonnier, tu l'es déjà, même si tu n'en as pas encore reçu le titre. Sorcier, tu l'es un peu aussi… Les dragons te l'ont-ils reproché ?

— Non…

— Eh bien, c'est qu'ils ont vu en toi un humain comme il n'en a encore jamais existé. Un dragonnier-sorcier : un être nouveau, qui inventera peut-être une nouvelle façon de tenir tête à nos ennemis.

Les dames aux cheveux rouges se mettent à chantonner :

— Pour la première fois s'unissent magie noire et blanc dragon…

— … grâce à cela, forts nous serons !

« Allons, jeune maître, crois un peu en toi ! » lui souffle Cyd, presque moqueur.

Cham hausse les épaules. Être magicien n'était déjà pas facile. Mais dragonnier-sorcier ! Puisque tout le monde le dit, sans doute faut-il qu'il le soit. Il a cependant beaucoup de mal à accepter cette idée.

Au cœur des Mornes Monts, Nastrad, le chaman, est assis dans la grotte qui lui sert de chambre. Immobile, les paupières fermées, il semble plongé dans une profonde méditation. Si le vieil homme est aveugle, il voit d'une autre manière. Et, cette nuit, il a eu de curieuses visions : du blanc et du noir, du lumineux et de l'obscur. Mélangés, ce qui est inhabituel. Il a attendu que ces images confuses s'ordonnent pour qu'il puisse les déchiffrer. À présent, aux premières lueurs du jour, il sait :

— Le dragon blanc et la strige ont combattu. Le blanc contre le noir. Avec, entre eux, un élément ni blanc ni noir.

Un léger sourire lui étire les lèvres :

— Cham ! Tu es en train de devenir un être nouveau, un dragonnier-sorcier. Tu es encore bien jeune pour un tel destin. Pourtant, l'avenir d'Ombrune − et de Norlande − repose entre tes mains. Mais quelle a été l'issue du combat ?

Le chaman se concentre. Il lâche alors une exclamation :

– Ah ! La victoire est une défaite ! Quelque chose a été volé aux dragons. Du mort dont les sorciers feront du vivant…

Il fronce les sourcils et marmonne :

– Mais je ne distingue pas bien. C'est dur, effilé, c'est… c'est une griffe !

Le chaman frémit. Les griffes de dragons sont, dit-on, particulièrement chargées de pouvoir. Quelle créature abominable les Addraks sont-ils capables de créer avec une griffe ?

Un bruit de pas familier, à l'entrée de la grotte, lui annonce l'arrivée d'une visiteuse.

– C'est toi, Igrid ? Tu es déjà levée ?

– Oui, je n'arrivais plus à dormir.

La jeune fille, encore tout ébouriffée, vient s'asseoir près de son grand-père et lui confie :

– J'ai fait un cauchemar, cette nuit…

– Raconte !

– Cham était là, il me souriait. Soudain, sa tête se mettait à tourner sur ses épaules comme sur un pivot. D'abord lentement, puis de plus en plus vite. Quand son visage repassait devant moi, il était à chaque fois plus grimaçant. À la fin, il était si horrible que je me suis réveillée en criant. Qu'est-ce que ça veut dire, grand-père ?

Le vieil homme presse la main de sa petite-fille entre les siennes d'un geste rassurant :

– Ce n'était qu'un mauvais rêve, fillette. Il est facile à expliquer : au fond de toi, tu as peur que ton ami Cham devienne un affreux sorcier.

– Et… il ne le deviendra pas ?

– Sorcier ? Oh, si ! Il l'est déjà un peu. Mais affreux, non !

Igrid secoue ses boucles rousses :

– Je ne comprends pas. On est sorcier ou on ne l'est pas.

– Hmm… les choses ne sont pas toujours aussi simples.

Ignorant qu'il reprend une image employée par les magiciennes de Nalsara quelque temps plus tôt, il ajoute :

— Quand on affronte un serpent, il est bon de savoir de quoi est fait son venin. Dans la lutte contre les Addraks, ce garçon va disposer d'une arme spéciale : sa connaissance de la magie noire. Avec l'appui de son dragon et de sa mère, il l'utilisera de la meilleure manière possible, j'en suis sûr.

— Tout de même… s'il passait du côté des Addraks ?

Le vieil homme pose sur sa petite-fille ses yeux laiteux :

— C'est un danger, bien sûr. Nous devrons tous l'aider, le soutenir. Toi, surtout…

— Moi ? Comment ?

— Oh, le moment venu, tu trouveras ! En attendant…

Nastrad marque une pause. Avec gravité, il reprend :

— Le Libre Peuple doit lui aussi se préparer à combattre.

Igrid s'effraie :

— La strige a réussi ? Elle a trouvé le Royaume des Dragons ? Elle leur a pris des ossements ?

— Par chance, elle n'a rapporté qu'une griffe. Néanmoins, le nouveau monstre que les Addraks vont concevoir, ce Dragon Mort, sera sûrement plus dangereux encore que la strige.

Nastrad se lève :

— Guide-moi, petite ! Je dois m'entretenir avec les sages de la tribu. Nous irons d'abord chez Zerna la Maigre. Ensuite nous verrons Gulem et Sandre le Borgne. Après quoi…

Par une galerie obscure, tous deux s'enfoncent au cœur de la montagne, et les paroles du chaman se perdent dans la distance.

Le sourire du dragon

Nyne est mécontente. Et vexée. Comment se fait-il qu'elle ait dormi si tranquillement, pendant que son frère risquait sa vie dans un combat contre la strige au Royaume des Dragons ? Quand, en se levant, elle a découvert que les magiciennes étaient sur l'île, l'angoisse lui a serré la poitrine : les dames aux cheveux rouges apportaient-elles une mauvaise nouvelle ?

Le récit qu'on lui a fait de cette nuit dramatique l'a estomaquée. Quant à son père, il en est resté pantois. Lui, c'est normal : Antos n'a aucun don pour la magie. Mais elle…

Cham n'avait pas prévenu Dhydra de son départ avec Cyd, il ne lui avait pas parlé du plan conçu en secret avec Isendrine et Mélisande. Pourtant, leur mère avait tout compris.

« Et moi, je ne me suis doutée de rien… »

La vérité, c'est qu'elle n'est encore qu'une apprentie magicienne, voilà tout. Et peut-être pas si douée que ça…

Maintenant, les magiciennes se sont envolées vers Nalsara, grands oiseaux gris dans le bleu du ciel. Cham et Cyd s'apprêtent à gagner eux aussi la Dragonnerie royale. C'est là qu'ils vont se préparer à la suite des événements, avec le roi Bertram et les dragonniers. Dhydra reste à la maison pour le moment. Ça ne durera sans doute pas. Un jour ou l'autre, on aura besoin de ses talents à Nalsara. Et elle, Nyne ? Quel rôle va-t-elle jouer dans tout ça ?

Maussade, elle fait tourner autour de son doigt l'anneau de nacre, cadeau de son ami Vag. Si cet anneau était aussi efficace que le prétend l'élusim, n'aurait-il pas dû la réveiller, cette nuit ?

Après réflexion, elle marmonne pour elle-même :

– Et s'il t'avait réveillée, hein, qu'est-ce que tu aurais fait ?

Rien. Elle n'aurait rien pu faire. C'était le boulot de Cham. Et de Cyd. Et des dragons. À eux tous, ils n'ont même pas pu empêcher la strige de voler une griffe de dragon, c'est dire ! Elle, elle ne…

Soudain, l'anneau lui picote la peau. Une voix interrompt ses cogitations. C'est un chantonnement familier, qui résonne à l'intérieur de sa tête :

« Hrummm, hrummm ! J'ai à te parler, Nyne. Rejoins-moi sur le rivage. »

Vag ! Il est revenu !

– Maman ! lance la fillette. Je vais faire un tour à la plage. Je ne serai pas longue.

Penchée à la fenêtre de la cuisine, sa mère acquiesce avec un sourire. Nyne court aussitôt vers la falaise et dévale le sentier.

Arrivée sur la grève, elle s'avance jusqu'à la ligne humide où les vagues viennent lécher les galets. Presque aussitôt, Vag apparaît. Son grand corps dégoulinant émerge de l'eau. Déployant son long cou, l'élusim approche son museau du visage de la fillette, lui souffle gentiment sur le nez :

« Bonjour, Nyne. Je vois que l'anneau t'a bien transmis mon message. »

– Oui, oui ! fait-elle en riant. Arrête, tu me chatouilles !

Vag désigne de la tête un gros rocher plat, au sec :

« Va t'asseoir là, et écoute-moi bien. »

Nyne obéit, impressionnée par le ton sérieux de la créature marine, mais pleine de curiosité.

Vag reprend :

« Lorsque Darkat a tenté de t'enlever en prenant l'apparence d'une énorme chauve-souris, il t'a griffée. »

La fillette passe le doigt sur son cou, à l'endroit où s'est formée une minuscule croûte :

– Ce n'était rien. C'est guéri.

« Le sorcier t'a volé une goutte de sang », poursuit l'élusim.

Nyne opine. Elle entend encore sa mère marmonner : « Le sang… C'est l'un des ingrédients de la magie noire. »

– Cette goutte a servi au sortilège qui a empêché les dragons de voir la strige arriver, c'est ce que maman m'a dit.

Elle s'interrompt ; une pensée terrifiante vient de lui traverser l'esprit. D'une voix un peu tremblante, elle demande :

– Est-ce que Darkat veut… me prendre encore du sang ?

« Non, non, la rassure l'élusim. Pour l'instant, le sorcier a d'autres soucis. Je dois cependant t'apprendre une chose importante : à présent que Darkat a utilisé ton sang, tu as du pouvoir sur lui. Et, ça, il ne le sait pas. »

Nyne est stupéfaite. Elle ? Du pouvoir ? Sur un personnage aussi redoutable que le jeune sorcier ?

– Comment ça ?

« Il t'a volé quelque chose. Tu es en droit d'exiger autre chose en échange. »

– Autre chose ? Quoi par exemple ?

« Ce sera à toi de le découvrir. L'occasion ne se présentera peut-être jamais. Mais, si cela arrive, rappelle-toi : tu es plus puissante que tu ne le crois, petite Nyne. En tout cas, pour le moment, ne confie ça ni à ta mère ni à ton frère. Ça ne ferait que les inquiéter. Que cela reste notre secret ! »

– Je n'en parlerai pas, promet-elle.

« C'est bien. Je te laisse, maintenant. Si tu as besoin de mon aide, appelle-moi grâce à ton anneau. »

L'élusim plonge, ridant à peine la surface de l'eau. L'instant d'après, il a disparu. Nyne remonte le sentier à pas lents. Ce que Vag vient de lui révéler est très perturbant. En même temps, elle en éprouve une certaine fierté : elle aussi peut avoir des secrets !

À cette idée, elle se met à courir. Quand elle arrive en haut de la pente, essoufflée, elle se trouve nez à nez avec Cyd.

– Oh ! lâche-t-elle en reculant d'un pas.

Elle n'a plus peur des dragons, désormais, mais celui-ci l'intimide. Il est si grand ! Si blanc ! Et son regard d'argent est si énigmatique…

Cyd la fixe quelques secondes, il souffle un petit jet de fumée bleutée. Puis il se détourne et s'éloigne. Nyne reste perplexe. On dirait que… oui, à sa façon, le dragon lui a souri !

Dans une grotte éclairée par des lampes à huile, l'Assemblée des Sages tient conseil.

Ils sont cinq. Sous l'autorité de Nastrad, ils gouvernent le Libre Peuple. Il y a Zerna la Maigre, qui parle peu mais toujours avec bon sens ; Gulem, le tailleur de pierre aux muscles impressionnants ; Sandre le Borgne, dont l'œil unique est plus perçant que celui d'un faucon ; Vern, le potier, un homme prudent ; et Milie, mère de huit enfants, la plus jeune et peut-être la plus astucieuse.

Tous ont appris depuis longtemps à faire confiance aux visions du chaman.

Quand Nastrad leur a décrit ce qu'il a vu, les cinq sages demeurent d'abord pensifs. C'est Gulem qui intervient le premier :

– La sorcellerie, ça n'est pas mon fort. Les outils, en revanche, oui. Des outils, des armes, c'est un peu pareil, hein ? S'il faut s'armer, je m'en occupe.

– S'armer, s'armer…, objecte Sandre le Borgne. Ce n'est pas si simple ! Nous ne sommes pas des guerriers. Je ne doute pas du courage de nos gars, néanmoins…

Milie l'interrompt :

– Des armes nous seront nécessaires, mais il y a d'autres façons de se battre. Nous avons appris à survivre dans les profondeurs de la montagne ; hommes, femmes, enfants, nous possédons tous des talents particuliers. À mon avis, c'est là que nous trouverons comment affronter les Addraks.

– Crois-tu ? intervient Vern. Personnellement, je ne vois pas à quoi serviraient mes dons de potier. Je m'imagine mal bombarder ces redoutables sorciers avec des cruches cassées !

La petite assemblée reste méditative. Nastrad se garde bien de rompre le silence, laissant les cinq sages réfléchir. Lui, en tant que chaman, il trouve la proposition de Milie très intéressante. Il sait avec quelle ingéniosité elle fait marcher sa maisonnée : ses huit enfants, de l'aîné au plus petit, ont chacun leur tâche et leur responsabilité.

« Les talents de chacun…, songe-t-il. Oui, amplifiés par un peu de magie, ils fourniraient des armes surprenantes, capables de déconcerter les Addraks. »

Zerna la Maigre, qui n'a encore rien dit, prend alors la parole :

– Ou on attend sans bouger, terrés dans nos grottes comme des lapins tremblants, et les Addraks finiront par nous débusquer. Ou on lutte, avec ce qu'on a et avec ce qu'on est. Dans le second cas, c'est peut-être la mort qui nous attend. Dans le premier, le sort que nous réserveront les sorciers sera pire encore…

Tous approuvent avec gravité. Zerna a raison. Le Libre Peuple ne se laissera pas transformer en une troupe d'esclaves, soumis aux Addraks par la magie noire.

— Quand même, objecte Vern, nos talents réunis ne sont rien face à un monstre pire que la strige, face au nouveau démon qui va surgir…

D'un geste de la main, Nastrad attire leur attention :

— Ce serait absurde de se mettre en danger sans nécessité. Nous n'interviendrons que lorsque le moment sera venu, pour soutenir l'armée d'Ombrune. C'est elle qui mènera la guerre contre les Addraks, avec ses dragonniers, ses dragons et ses magiciennes. Et avec ce jeune dragonnier-sorcier que nous avons caché au temps où il fuyait la Citadelle Noire avec sa mère. Cham a un dragon à lui, maintenant. Et c'est une créature comme on n'en a jamais vue !

— Comment le sais-tu, Nastrad ? l'interroge Gulem.

— Parce que, moi, je l'ai « vue ».

Le chaman esquisse un sourire. Pas seulement en raison du silence respectueux qui accueille sa déclaration, mais parce qu'il a perçu un léger bruissement, à l'extérieur de la grotte.

Tapie dans l'ombre de la galerie, Igrid n'a rien perdu de la conversation !

3

Le cri de la bête

Posté devant la fenêtre de son bureau, messire Onys annonce :

— Les magiciennes sont de retour.

Hadal, son secrétaire, s'approche de la croisée. Il a juste le temps d'apercevoir deux oies sauvages piquant du haut du ciel, avant qu'elles ne disparaissent au coin du bâtiment.

Quelques minutes plus tard, les femmes aux cheveux rouges entrent dans la pièce.

— Eh bien ? les interroge aussitôt le Maître Dragonnier.

– Le combat a eu lieu au Royaume des Dragons, commence Isendrine. La strige…

– … a été repoussée, continue Mélisande. Mais…

Messire Onys ne lui laisse pas le temps d'achever :

– Le combat, dites-vous ? Qui a combattu ?

Les magiciennes annoncent, solennelles :

– Cyd, le dragon blanc, plus beau et plus grand…

– … que tous les autres dragons ! Avec son jeune dragonnier.

– Plus grand ? souffle le vieil homme, stupéfait. Il n'est sorti de l'œuf que depuis quelques jours. C'est un prodige ! Et donc, Cyd a remporté la victoire ? La strige a échoué ?

– La victoire est une défaite, révèle Isendrine, néanmoins…

– … le dragon blanc et le petit sorcier nous ont évité le pire, termine Mélisande.

– Le petit sorcier ? s'étonne Hadal. De qui parlez-vous ?

Messire Onys pose la main sur le bras de son collaborateur :

– Celui que ces dames appellent ainsi
n'est autre que votre ami Cham.

Hadal écarquille les yeux :

– Cham ? Mais… il est magicien, pas
sorcier ! Quoique… Ne disiez-vous pas que
son grand-père était un Addrak ? Se pour-
rait-il que…

Il s'interrompt, troublé.

Les magiciennes se tournent vers lui :

– Rassurez-vous, messire Hadal ! Pour
combattre les maléfices, il est bon…

– … qu'un peu de noir se mêle à la blancheur, un peu d'obscur à la lumière !

Devant l'air perplexe de son secrétaire, le Maître Dragonnier reconnaît :

– Oui, moi aussi, j'ai du mal à admettre ce raisonnement.

D'une voix anxieuse, il reprend :

– Mais, belles dames, vous avez prononcé le mot « défaite ». La strige aurait-elle rapporté aux Addraks des ossements de dragons ? Répondez, je vous en prie !

– Non, Messire. Elle n'a volé qu'une griffe. Même si les sorciers créent du vivant avec le mort, ils…

– … ne feront pas une armée d'une seule griffe.

Messire Onys reste un instant silencieux, digérant l'information. Enfin, il soupire :

– En ce sens, en effet, le pire a été évité. Seulement… Contre quelle nouvelle horreur devrons-nous bientôt nous battre ? À quoi va ressembler ce Dragon Mort, dont vous nous avez parlé ?

– C'est ce que nous allons…

– … chercher à savoir, Messire.

Pivotant sur leurs talons, les magiciennes se dirigent vers la porte et quittent le bureau.

Hadal les regarde partir, encore sous le choc. Ainsi, Cham serait sorcier ? Le jeune homme n'arrive pas à y croire. Lui, il ne comprend rien à cette histoire de noir mêlé à la blancheur. Mais, bon ! Si le Maître Dragonnier et les magiciennes pensent que ce n'est pas une mauvaise chose, il aurait tort de se tracasser. Des événements bien plus inquiétants se préparent…

Depuis qu'Antos a envoyé un alcyon voyageur à messire Onys pour l'avertir du prochain retour de Cham, le garçon se fait du souci : maintenant qu'il a son dragon, il ne peut plus revenir au palais en tant qu'écuyer de Yénor. Seulement, il n'a pas encore reçu le titre de Dragonnier… D'ailleurs, comment vont-ils réagir, les autres dragonniers ? Ils le considèrent tous comme un gamin – un gamin très doué, mais un gamin quand même. Et voilà qu'il va débarquer sur le dos de la plus grande, la plus belle créature qu'on ait jamais vue à la Dragonnerie

royale ! Semblable au Dragon Blanc de la légende !

Cyd a compris son inquiétude. Voyant son jeune maître pensif devant la mer, il le bouscule d'un coup de museau.

– Hé ! proteste Cham. Tu veux me faire tomber du haut de la falaise ?

« Ce ne serait pas bien grave. En un coup d'ailes, je t'aurais rattrapé ! »

– Arrête de fanfaronner ! Explique-moi plutôt…

Le garçon s'interrompt, finit par reprendre :

– Il est temps d'aller à Nalsara. Comment on va…

« Facile ! En deux ou trois cents coups d'ailes ! »

– Mais non, idiot ! Ce n'est pas ce que je veux dire ! Comment je… Comment tu…

« Comment le plus jeune des dragons et un dragonnier qui ne l'est pas encore seront-ils accueillis là-bas ? C'est ce que tu te demandes ? »

Cham hoche la tête.

« Eh bien, pour le savoir, il suffit d'y aller ! Es-tu prêt ? As-tu préparé ton bagage ? »

– Pas besoin de bagage, j'ai laissé toutes mes affaires au palais. Je suis revenu sur l'île en catastrophe, figure-toi ! Pour empêcher la strige de briser ton œuf !

« Ah, oui ! Tu as réussi une curieuse métamorphose, j'ai appris ça ! C'est sûr, sous la forme d'un *coq-mouette-aigle*, on ne peut pas transporter grand-chose ! »

Mi-amusé mi-agacé par ces taquineries, le garçon acquiesce :

– Tu as raison. Allons-y ! On verra bien.

Cham a pris sa décision. Néanmoins, il trouve tous les prétextes pour retarder son départ : il fait honneur à l'appétissant ragoût de mouton que sa mère a cuisiné pour le déjeuner ; après quoi, il aide son père à arroser les semis de petits pois ; ensuite, il accompagne Nyne dans la colline pour y cueillir du thym.

Quand il revient, l'après-midi est bien avancé. Cyd se plante devant lui :

« Donc, tu renonces à devenir dragonnier ? Remarque, je te comprends ! La vie à la ferme a son charme. Je vais faire un saut à Nalsara pour prévenir que tu ne viendras pas, et... »

Cham lui assène une tape sur le museau :
– Oh, ça va ! Il n'y a pas le feu !

« Si, justement, il y a le feu ! Pendant que tu joues au jardinier, les Addraks mettent en œuvre leur sorcellerie ! »

Intérieurement, le garçon est un peu honteux. Il n'a pas le droit de traîner ainsi. Mais il a du mal à quitter encore une fois ces lieux familiers ; qui sait quand il les reverra ? Jetant un dernier regard autour de lui, il soupire :
– Partons...

Ayant fait ses adieux à ses parents et à sa sœur, Cham enfourche Cyd. Tandis qu'ils volent tous deux vers le palais de Nalsara, le garçon s'interroge. Après la bataille nocturne au Royaume des Dragons, Cyd l'a ramené sur l'île à une vitesse prodigieuse. Mais la strige ? Dans combien de temps aura-t-elle regagné la Citadelle Noire ? Et combien de temps faudra-t-il aux Addraks pour transformer la griffe avec leurs sortilèges ?

Le dragon blanc a-t-il lu dans son esprit ou se pose-t-il les mêmes questions ? En tout cas, il déclare :

« Dès notre arrivée, nous travaillerons avec les magiciennes. Il faut imaginer un moyen d'empêcher la métamorphose de la griffe. »

— Tu crois que c'est possible ? La magie noire des Addraks est si puissante…

« Les dragons sauvages nous y aideront. Ils se sont déjà mis à la tâche. Mais il faut faire vite. La strige a retrouvé son maître. »

— Quoi ? Déjà ?

« Oui. Darkat, grâce à un appel mental, lui a fait traverser l'espace tel un éclair. »

Cham s'apprête à demander : « Comment le sais-tu ? », puis il se souvient : les dragons ont le don de partager leurs pensées, leur mémoire. Quelle force cela leur donne ! Toutefois, ça n'atténue guère l'angoisse du garçon.

Isendrine et Mélisande ont gagné la salle souterraine où elles œuvrent à leur magie. Contre l'un des murs, des grimoires s'entassent sur des étagères. Près de la bibliothèque se dresse une table encombrée de parchemins. Au fond de la pièce est accroché un grand miroir. Au centre, sous le haut plafond voûté, la cuve de mercure brille dans la pénombre. Le métal liquide est chargé de pouvoir. À qui possède l'art de lire ses frémissements et ses remous, il révèle de précieuses informations.

Voilà des heures que les magiciennes, penchées sur la surface miroitante, psalmodient sans relâche :

– Vif-argent, toi qui sais, fais-nous voir...

– ... ce que d'une griffe peut tirer la magie noire !

Et voilà des heures que rien ne se passe.

Enfin, une ondulation parcourt le mercure.

– Ah ! lâchent les magiciennes d'une seule voix.

Le liquide redevient lisse, reste un moment immobile. À nouveau, il se creuse de rides légères.

Isendrine et Mélisande connaissent ce phénomène :

– Le vif-argent réfléchit. Il a la réponse, mais…

– … il craint de se tromper.

Baissant la voix, elles ajoutent :

– De se tromper ou…

– … de nous effrayer !

Une vapeur verdâtre monte alors de la cuve. Ses volutes dessinent dans l'air des figures changeantes, difformes. Elles grandissent démesurément, jusqu'à toucher la voûte. Sans

cesser de se tordre, elles se fondent en une seule silhouette, noire, ailée, gigantesque. Sa tête évoque celle d'un monstrueux insecte. Ses yeux jaunes à la pupille verticale luisent de malveillance. Sa gueule aux énormes mandibules s'ouvre ; il en sort un glapissement strident, suraigu : *Schriiiiiiiiiiiiiiiiiiiiiik !*

Les magiciennes sont projetées en arrière. Elles ont beau plaquer les mains sur leurs oreilles, le bruit inhumain leur vrille les tympans.

Brusquement, la vision disparaît, le silence retombe. Sonnées, Isendrine et Mélisande balbutient :

— C'est plus terrible encore que ce que nous craignions. Rien qu'avec son cri…

— … cette bête va semer la terreur !

Du dragon dans un démon

Le trajet jusqu'à Nalsara n'a jamais paru si court à Cham. Cyd vole-t-il plus vite que Nour, avec qui le garçon a effectué plusieurs fois la traversée ? Ou bien est-ce lui qui aurait préféré moins de rapidité ? Lorsqu'il voit se profiler devant lui les remparts du palais et les murs de la Dragonnerie royale, il ne peut s'empêcher de penser :

« Déjà ? »

Comment va-t-on l'accueillir, avec sa monture ailée ? Le Maître Dragonnier ne va-t-il pas décréter qu'il est trop jeune et trop inexpérimenté pour posséder un tel dragon ? Messire Onys aurait raison, Cham en est conscient. D'ailleurs, Cyd ne lui appartient pas. Au fond, c'est plutôt le dragon qui est le maître du garçon ! Il n'a pas le temps de se tourmenter davantage : ils arrivent au-dessus de la dragonnerie. Quand Cham ose regarder en bas, il est stupéfait. La vaste cour est pleine de monde. Les vingt-sept dragons sont là, avec leurs dragonniers. Les écuyers, les valets et les servantes se pressent aux fenêtres et sur le seuil des portes. Tous fixent le ciel, la tête renversée en arrière. Au fond de la cour, le garçon reconnaît son ami Hadal. À quelques pas du secrétaire se tiennent messire Onys et les magiciennes.

Suspendant un instant son vol, les ailes étendues, Cyd constate :

« Tiens, tiens, le comité d'accueil est au complet. Il ne manque que Sa Majesté Bertram. Mais il va bientôt se montrer, qu'est-ce que tu paries ? »

– Qui ? Le roi ?

« Eh bien, oui, le roi ! Je suis sûr qu'il crève d'envie de me voir ! »

— Oh ! lâche Cham, choqué par une telle désinvolture.

Il n'a que le temps de s'accrocher, car Cyd effectue un plongeon vertigineux. Une clameur monte de la cour. Ça y est, ils se sont posés.

Le garçon regarde autour de lui. C'est incroyable ! Les dragonniers saluent leur arrivée avec des hourras ! Les dragons, ailes dressées, font vibrer leurs écailles. Cela produit une cacophonie joyeuse, sauvage, exaltante. Cham en a la chair de poule. Il n'avait encore jamais ressenti cela, pas même au Royaume des Dragons !

Peu à peu, le calme revient, tandis que messire Onys s'avance. Il salue, solennel. Le garçon se laisse glisser à terre, brusquement ramené à la réalité : c'est au dragon que le Maître Dragonnier rend hommage, pas à son jeune cavalier !

Cependant, messire Onys s'adresse à l'assemblée :

— Nous accueillons avec joie parmi nous Cyd, le fils de Selka, dont le nom signifie

« Lumière ». C'est un don magnifique que les dragons sauvages nous font, à nous, les humains. Ils nous offrent une aide précieuse face à la terrible menace des Addraks. Et c'est à ce garçon que nous le devons.

Nouvelles acclamations, nouveaux crépitements d'écailles. Intimidé, Cham se dandine d'un pied sur l'autre.

D'un léger coup de patte, Cyd le rappelle à l'ordre :

« Hé ! Remercie ! »

« Remercie toi-même ! » rétorque Cham en pensée.

Par chance, les magiciennes le tirent d'embarras. S'approchant à leur tour, elles clament :

– Jamais tant de blancheur et de lumière n'auront eu à combattre…

– … tant de puissance ténébreuse !

À ces mots, une rumeur inquiète monte parmi les dragonniers. Le bruit a couru dans le palais que les Addraks préparaient de sombres maléfices. Mais personne ne sait rien de précis. Puis chacun se tait, espérant en apprendre davantage.

C'est dans ce silence plein d'attente que le roi Bertram apparaît.

Tous s'inclinent, humains et dragons. Seuls Cyd et Cham ne bougent pas. Le dragon blanc parce qu'il observe le souverain avec curiosité, et le garçon parce qu'il en est bouche bée.

« Qu'est-ce que je t'avais dit ? » fait remarquer la voix amusée du dragon.

Cette fois, c'est Cham qui lui flanque un coup de pied :

« Salue, idiot ! C'est le roi ! »

Ayant retrouvé ses esprits, il plonge dans une profonde révérence. Cyd consent à courber le cou, tout en soufflant de petits jets de fumée bleue. Le garçon en est sûr : le dragon blanc retient une grosse envie de rire ! Une évidence le frappe alors : Cyd n'est sorti de l'œuf que depuis quelques jours. Il a beau être d'une splendeur éblouissante, il n'est encore, en vérité, qu'un insupportable gamin, impertinent et indiscipliné !

Le roi s'arrête devant eux. Il contemple longuement la magnifique créature, dont les écailles lancent des éclairs argentés. Un bref instant, Cham a l'impression que c'est le souverain qui va s'incliner devant le dragon !

Enfin, le roi Bertram prend la parole :

— Bienvenue, Cyd ! Nous devrons bientôt affronter une force maléfique dont nous ne connaissons pas les pouvoirs. Nos magiciennes nous ont décrit une vision terrifiante, celle d'un monstre gigantesque, un être abominable. Si rien n'empêche les Addraks de le faire surgir, notre royaume sera en grand péril. Par ta seule présence, tu nous rends l'espoir.

Cette fois, le dragon remercie d'un gracieux mouvement de tête.

Le souverain s'adresse alors à Cham :

— Quant à toi, jeune écuyer, nous te sommes profondément reconnaissants ! Sans toi, la Dragonnerie royale ne compterait pas aujourd'hui un nouveau pensionnaire, le plus beau, le plus puissant qu'elle ait jamais abrité ! Merci !

Le garçon ouvre la bouche pour répondre ; il ne trouve pas ses mots. Le cœur lui bat, ses joues le brûlent.

La voix du dragon résonne dans sa tête, railleuse :

« Demande-lui quand tu obtiendras le titre de Dragonnier, c'est le moment ! »

– Je… Votre Majesté…

C'est tout ce que Cham réussit à balbutier. Du regard, il quête le soutien de messire Onys et des magiciennes, qui encadrent le roi.

Le Maître Dragonnier déclare alors :

– Sire, nous n'avons jamais eu de dragonnier aussi jeune. Pourtant, ce garçon ne peut plus être un simple écuyer.

Isendrine et Mélisande interviennent à leur tour :

– Comment nommer celui qui n'est ni tout à fait dragonnier…

– … ni tout à fait sorcier, et cependant un peu des deux ?

Le souverain lève la main en souriant :

– Soit ! Le jeune Cham ne sera plus écuyer, puisqu'il possède à présent son propre dragon. Et je n'oublie pas les nombreux services qu'il nous a déjà rendus. Néanmoins, malgré ses grandes qualités, il est encore bien jeune pour recevoir officiellement le titre de Dragonnier.

Après un bref silence, il ajoute, songeur :

– Avec les événements qui se préparent, sans doute l'obtiendra-t-il bientôt…

Puis, se tournant vers les magiciennes, il poursuit :

– Quant au nom de sorcier que vous lui donnez, belles dames, il m'inspire plus d'inquiétude que de confiance. Enfin, puisque vous affirmez que c'est un atout…

Isendrine et Mélisande chantonnent :

– S'il y a du sorcier dans un dragonnier, et du dragon…

– … dans un démon, l'équilibre des choses sera peut-être rétabli.

Du dragon dans un démon ? Que veulent-elles dire ? Soudain, Cham comprend : la créature que les Addraks vont créer à partir de la griffe volée aura du dragon en elle. Qu'est-ce que cela signifie ? Qu'elle va garder un peu de l'âme des dragons ? Qu'on pourra… « communiquer » avec elle ?

Cyd, qui a suivi les réflexions de son jeune maître, répond à sa question :

« Ma mère, Selka, le pense. »

« Je voudrais bien savoir ce qu'en pense ma mère à moi… », rétorque mentalement le garçon, la mine sombre.

Avant, c'était simple : il y avait les magiciennes et les sorciers, la magie blanche et la magie noire. Maintenant…

Cham laisse tomber ses épaules, découragé. Pourquoi tout est-il devenu si compliqué ?

Des images dans le mercure

Après cet accueil triomphal, Cham passe encore un long moment à recevoir les félicitations des uns et des autres. Tous les dragonniers, du plus jeune au plus âgé, tiennent à le saluer en personne. Les dragons, eux aussi, lui expriment à leur façon leurs encouragements. Quant à Nour, il grommelle d'un ton faussement jaloux :

« Il te fallait un dragon blanc, hein ? Des écailles vertes comme les miennes, tu trouves ça trop commun ! »

À la fois amusé et attristé, le garçon prend entre ses mains la tête rugueuse du dragon aux yeux d'or :

– Nour ! Tu as été mon premier compagnon. Jamais je ne l'oublierai, tu le sais !

D'un coup de museau amical, Nour le rassure :

« Je le sais, petit maître ! Suis ton chemin ! Quel que soit ton destin, tous les dragons sont avec toi ! »

Cham surveille ensuite l'installation de Cyd dans son box, s'assure qu'il reçoit de l'eau fraîche et de la viande en abondance. Il va et vient, un peu désemparé. Il trouve bizarre de voir le dragon blanc ici, comme n'importe quel pensionnaire de la dragonnerie. Cyd lui paraît si différent des autres ! Ils étaient si bien, sur l'île aux Dragons, tous les deux !

Cyd perçoit le trouble du garçon :

« Ne t'inquiète pas pour moi. Je suis logé, nourri. On m'a mis une épaisse couche de paille sous les pattes. Fais ce que tu as à faire ! Je vais connecter mon esprit à ceux des dragons sauvages. Nous avons des idées à échanger. Isendrine et Mélisande nous ont rappelé une chose très juste, tout à l'heure. »

– Qu'il y aura du dragon dans le démon ?

« Oui. Enfin… si ce démon surgit. La griffe volée par les Addraks contient encore un peu de la magie des dragons. Ça nous laisse une chance d'empêcher la métamorphose… »

Cham hoche la tête en souhaitant que Cyd ait raison. Mais il sait combien la magie noire des sorciers est redoutable. C'est Hadal qui le tire de ses réflexions :

– Cham ! Le Maître Dragon-nier et les magiciennes dési-rent te voir.

– J'arrive !

Avec un petit signe à Cyd, le garçon rejoint le secrétaire dans la cour de la dragonne-rie. Il constate, amusé, que le jeune homme se tient le plus loin possible de l'entrée du box. Il a toujours aussi peur des dragons !

Cham parcourt à grands pas les corridors du palais en compagnie d'Hadal. En même temps, il s'interroge : la journée s'achève ; d'après Cyd, la strige a regagné la Citadelle Noire le matin même. Le garçon l'imagine, survolant la mer houleuse dans la lueur grise de l'aube, franchissant les murailles de la forteresse, déposant son trophée dans la main de Darkat… Ces images le font frémir. Quels maléfices le jeune sorcier – son oncle ! – a-t-il concoctés ? Combien de temps lui faudra-t-il pour transformer en monstre la griffe volée aux dragons ? Y a-t-il encore une chance de l'en empêcher, comme le pense Cyd ? Cham en doute. Toutefois, les magiciennes ont peut-être une idée, elles aussi. Impatient d'en apprendre davantage, le garçon presse le pas.

Lorsqu'il pénètre dans le bureau du Maître Dragonnier, Cham s'immobilise, indécis. L'ombre du crépuscule monte derrière la fenêtre. Des chandeliers sont allumés. Est-ce la lumière tremblante des bougies qui donne à Isendrine et Mélisande cette allure impressionnante ? Debout au milieu de la pièce, elles posent sur le garçon un regard indéchiffrable.

Il déglutit, bredouille :

— Vous vouliez… me voir ?

— Approche, petit ! l'encourage messire Onys. Ces dames ont une demande à te faire. La chose est quelque peu surprenante, mais nous devons tout tenter pour contrecarrer les plans des Addraks.

D'un geste de la main, il invite les magiciennes à prendre la parole. Celles-ci déclarent :

— Accepterais-tu, jeune magicien-sorcier, de joindre…

— … tes pouvoirs aux nôtres ?

— De… quoi ? lâche le garçon, stupéfait.

Levant les bras vers le plafond, les femmes aux cheveux rouges psalmodient :

— Il nous faut trouver cette nuit quelque chose…

— … afin d'empêcher la métamorphose.

Elles ajoutent d'une seule voix et dans un souffle :

– Si, du moins, il en est encore temps…

Cham en reste muet. Qu'est-ce qu'elles s'imaginent, ces deux-là ? Qu'il s'y connaît assez en magie noire ? Elles savent bien que non ! Tous ces maléfices le dépassent. Alors ?

Voyant sa mine effarée, les magiciennes reprennent :

– Sois sans crainte, petit ! Ta seule présence à nos côtés…

– … nous aidera à entrer dans l'esprit des sorciers.

Le garçon marmonne :

– Ah, alors, en ce cas…

Sans attendre davantage, Isendrine et Mélisande l'entraînent le long d'un corridor. Elles s'engagent dans un escalier obscur, qui s'enfonce en colimaçon dans les profondeurs du palais. Des torches accrochées çà et là aux murs humides projettent leurs ombres déformées sur les marches de pierre. Cham a l'impression que la descente n'en finit pas. Il pose enfin le pied sur un sol carrelé. Devant lui se dresse une porte bardée de fer. L'une des magiciennes sort des plis de sa robe une clé qu'elle fait tourner dans la serrure. L'autre magicienne pousse le battant. Elles entrent, et le garçon pénètre derrière elles dans leur laboratoire secret.

Il repère aussitôt la cuve de mercure, qui trône au centre de la pièce. Fasciné, il s'approche, se penche au-dessus du métal liquide.

À peine son visage s'est-il reflété sur la surface miroitante que celle-ci s'assombrit. Puis une image se dessine. C'est une silhouette noire qui gesticule, les bras levés, devant un sarcophage.

Cham s'exclame :

– Darkat ! Il est dans la crypte qui enferme le tombeau d'Eddhor. Et il… il récite des incantations. Il…

D'un coup, l'apparition s'efface ; le liquide argenté luit de nouveau doucement dans la pénombre.

Cham vacille, étourdi : cette brève vision l'a vidé de ses forces. Les magiciennes doivent le soutenir pour qu'il ne s'écroule pas.

– Ainsi, dit l'une, Darkat veut être le maître de la créature, comme il est celui de la strige. Voilà une information…

– … fort intéressante, que toi seul, jeune sorcier, pouvais nous donner ! conclut l'autre.

Encore mal assuré sur ses jambes, Cham murmure :

– Darkat est très puissant. Maman dit qu'il l'est plus que jamais, grâce à la magie qu'il a puisée dans la pierre de Semblance.

– Il est très puissant, c'est vrai. Mais…

– … il s'attaque à plus puissant que lui : les dragons.

– Pourtant…, objecte Cham.

Il s'interrompt, embarrassé.

Haussant un sourcil interrogateur, Isendrine et Mélisande le toisent, attendant qu'il achève sa phrase.

D'une voix incertaine, le garçon continue :

— Pourtant, la nuit dernière, les dragons…

Les magiciennes rétorquent :

— La nuit dernière, les dragons ont perdu une bataille, ils…

— … n'ont pas perdu la guerre !

Puis elles chantonnent :

— Et les heures de cette nouvelle nuit…

— … seront propices à leur magie !

Cham hoche la tête. Cyd l'a bien dit : « La griffe volée par les Addraks contient encore un peu de la magie des dragons. » Oui, les dragons peuvent se servir de cela.

Mais les magiciennes, elles, que comptent-elles faire ?

Comme si elles avaient deviné sa question muette, les dames aux cheveux rouges déclarent :

— Grâce à toi, nous le savons à présent : c'est à Darkat que devra s'opposer…

– … la force des dragons. À nous de les y aider.

Le garçon ouvre des yeux ronds. Aider les dragons ? Comment ?

Les magiciennes ajoutent, déterminées :

– Viens, demandons…

– … à ta mère de joindre ses talents aux nôtres !

– À maman ? s'exclame Cham, interloqué. On retourne sur l'île aux Dragons ?

Sans répondre, Isendrine et Mélisande le prennent chacune par une main et l'entraînent devant le grand miroir accroché au mur.

Soudain, la jeune femme tressaille, car elle vient de percevoir une vibration inattendue, aussi fine et solide qu'un cheveu. C'est impossible ! Pourtant… oui, c'est bien elle ! C'est Nyne !

Troublée, Dhydra visite en esprit la chambre de sa fille. Elle est aussitôt rassurée : la fillette dort. Sans le savoir, du fond de son sommeil, la petite Nyne les a rejoints dans leur lutte contre les sortilèges du sorcier.

« Quelle magicienne tu vas devenir, mon enfant ! » pense sa mère avec émotion, avant de reprendre sa lente litanie.

Il faut qu'ils réussissent ! Il le faut ! Un échec serait catastrophique…

S'efforçant de repousser la peur et le doute qui la tenaillent, Dhydra affermit sa voix. Et le vent porte ses paroles au-dessus des vagues sombres, dont seule la crête jette de faibles éclats dans l'obscurité.

Voilà un jour et une nuit que le jeune sorcier n'a pas quitté la crypte où se dresse le tombeau d'Eddhor. Il a déposé la griffe sur la lame de Ténébreuse, l'épée que tient le gisant. Il dit et redit les formules qu'il a soigneusement conçues. Ses mains ne cessent de dessiner dans les airs des signes compliqués. La lumière des chandelles magiques déforme son visage, lui donne tour à tour l'apparence d'un mufle de bête ou d'une tête de rapace. Sur les murs, l'ombre de ses bras ondule tels des tentacules, s'élargit en ailes membraneuses ; ses doigts deviennent des serres tranchantes.

Lorsque, dehors, l'aube teinte de gris les murailles de la Citadelle Noire, le rituel est enfin achevé. Darkat s'effondre contre le sarcophage. Au cours de ces longues heures, il n'a ni mangé, ni bu, ni dormi. Il a puisé au fond de lui tout ce qu'il possédait de pouvoir maléfique.

– Ai-je réussi, père ? demande-t-il.

La réponse passe sur lui comme une haleine glacée :

« Tes sortilèges ont accompli ce qu'ils devaient accomplir… »

– Il ne me reste qu'à appeler la créature. Et elle apparaîtra ! lâche Darkat, l'œil fiévreux.

Lentement, il se relève, reprend la griffe dans sa paume. C'est au sommet du donjon, à présent, que tout va s'achever. Dans le souffle du vent, qui attise la magie. Et devant le Conseil des Sorciers réuni.

Darkat quitte la crypte. À l'instant où les chandelles magiques s'éteignent, un murmure monte derrière lui. Simple courant d'air ou mystérieux avertissement ?

La porte se referme. Le jeune sorcier n'y a pas prêté attention.

« Voici l'aube », dit Nhâl.

« Déjà... », souffle Selka.

La belle dragonne verte frémit de toutes ses écailles. La nuit entière, Selka et les Anciens ont puisé dans la science des dragons ; ils ont créé un sortilège capable de renforcer la magie encore présente dans la griffe. Sera-t-il assez puissant pour s'opposer à la magie noire ? Ils ne vont pas tarder à le savoir, car le jeune Addrak a achevé ses incantations. Au lever du jour, il va invoquer devant les sorciers réunis le démon qu'il a conçu. Cela, les dragons l'ont détecté.

Tout en réunissant leur énergie magique, ils n'ont cessé de projeter leur esprit vers ce petit morceau de dragon mort qui n'aurait jamais dû quitter leur cimetière. Ils l'ont suivi mentalement jusqu'à la Citadelle Noire, puis dans le souterrain où repose celui qui fut le plus puissant des sorciers addraks. Ils le « voient », maintenant, monter dans la main de chair de Darkat vers le sommet du donjon, où la métamorphose doit s'accomplir.

« Si cela se fait, songe Selka, quel sacrilège ce sera ! Un noble dragon donnant naissance à un monstre ! »

Elle s'ébroue pour chasser cette pensée, mais son angoisse ne s'atténue pas. Elle demande à Nhâl :

« Se peut-il que la magie des Addraks l'emporte sur la nôtre ? Depuis qu'ils ont capté l'énergie de la pierre de Semblance… »

« Ce n'est pas impossible, Selka », soupire lugubrement l'Ancien.

« En ce cas, serons-nous encore capables de venir en aide aux humains ? »

Avec un rire amer, Nhâl répond :

« Peut-être faudra-t-il désormais que les humains viennent en aide aux dragons ! Mais ne perdons pas trop vite espoir. Le démon que les Addraks veulent créer n'a pas encore vu le jour ! »

Le jour, justement, va se lever. Et, très loin de là, Darkat gravit les marches d'un interminable escalier de pierre. Enfin, il surgit au sommet du donjon. Les onze autres sorciers le rejoignent l'un après l'autre. Le vent venu de la mer agite leurs cheveux et fait claquer les pans de leurs manteaux. Ils se disposent en cercle, laissant le plus jeune d'entre eux au centre.

Le Grand Maître l'interpelle, sarcastique :

— Eh bien, Darkat ! Combien de créatures vas-tu nous offrir ? Où sont les ossements de dragons que la strige devait te rapporter ? Ils ne tiennent pas tous dans le creux de ta main, je suppose ?

Le fils d'Eddhor s'attendait à cette attaque. Il choisit de ne pas répondre. Car ce qu'il va faire apparaître réduira au silence le vieillard au bandeau d'argent.

Darkat lève le bras vers le ciel où courent de lourds nuages d'orage. Ployant le poignet, il expose à l'air marin la griffe posée sur sa paume. D'une voix rauque, venue du fond de son ventre, il entonne une longue litanie dans

une langue mystérieuse. Et les mots qu'il prononce, mêlés au grondement des vagues, résonnent si lugubrement que les onze sorciers eux-mêmes sentent le froid de la mort leur glacer les os.

Soudain, un éclair jaillit des nuées, zèbre le ciel noir et vient frapper la griffe. Des étincelles bleutées grésillent autour du bras du jeune homme. Leur énergie magique est telle que ses nerfs vibrent douloureusement. Des flammèches lui parcourent le corps. La griffe se met à palpiter d'une lueur surnaturelle. Douze regards convergent vers ce petit morceau de dragon mort. Retenant leur souffle, les sorciers attendent que s'accomplisse la métamorphose. La lueur s'intensifie. La griffe rougeoie, sa clarté devient si vive qu'il est impossible de la fixer. Puis cette clarté faiblit. Et, dans un dernier clignotement, elle s'éteint.

Rien d'autre ne se passe. L'opération magique a échoué.

De douze poitrines sort une exclamation de déception incrédule. Après quoi, un silence pesant s'installe sur la tour. On n'entend plus que le vent et les cris des mouettes.

Enfin, Darkat balbutie :

– Pourtant, mon père, Eddhor, s'est adressé à moi en esprit. Il m'a assuré que j'avais réussi, que…

Il s'interrompt. En vérité, ce qui lui a été dit ne parlait pas de réussite : « Tes sortilèges ont accompli ce qu'ils devaient accomplir… » La phrase n'avait-elle pas quelque chose d'inachevé ? Lui revient alors en mémoire le murmure à peine perçu, quand il a quitté la crypte. Le sens de cette espèce de soupir échappé du tombeau le frappe soudain : « Mais la griffe est imprégnée de la magie des dragons, qui repousse ta magie noire… »

Le jeune sorcier a su créer les sortilèges capables de faire du vivant avec du mort. Seulement, il n'a pas compté avec la puissance des dragons !

À présent qu'il a compris son erreur, Darkat imagine déjà comment la réparer.

Redressant la tête, il clame d'une voix assurée :

— En vérité, messires, vous venez d'assister à la première étape de cette formidable entreprise ! Vous en avez été témoins : le feu du ciel est tombé sur le morceau de corne posé sur ma main ; et sa force prodigieuse s'est répandue dans tous mes membres. Je la sens brûler en moi, désormais. Patientez encore un jour et une nuit ! Et vous verrez naître sous vos yeux un démon comme il n'en a jamais existé. Un démon qui me sera soumis.

Ce dernier mot, mêlé aux sifflements du vent, plane un instant au-dessus des sorciers. Il vibre telle une promesse. Et une menace.

Le message du papillon

« La métamorphose ne s'est pas accomplie, se réjouit Selka. Nous avons réussi ! »

« Pas totalement... », souffle Nhâl en secouant la tête.

Ni lui ni les autres Anciens ne se sentent vraiment soulagés. Ce succès est provisoire, ils le savent. Le jeune sorcier va renforcer ses sortilèges. Malgré les efforts des dragons pour protéger la griffe, Darkat a attiré sur elle l'énergie ardente de la foudre. S'il y parvient de nouveau, ses noirs projets s'accompliront.

« Et nous n'étions pas seuls à lutter, souligne Nhâl. Cham, Dhydra, les magiciennes, tous ont joint leurs forces aux nôtres. La prochaine fois… »

Un Ancien soupire, accablé :

« La prochaine fois, même avec leur soutien, notre magie ne sera pas assez puissante face à tant de maléfices. La créature apparaîtra. »

« Nous faudra-t-il combattre aux côtés des humains ? s'interroge un autre Ancien. Nous ne l'avons jamais fait. Du moins, pas directement… »

Nhâl réfléchit une longue minute avant de répondre :

« Je crains, hélas ! que cela ne nous soit interdit. »

Selka sursaute, comme si une flèche s'était plantée dans sa chair :

« Interdit ? Pourquoi ? »

Le grand Ancien la regarde au fond des yeux :

« Parce que le monstre créé par la magie des Addraks sera un dragon. Un dragon dif-

forme et malfaisant, mais un dragon. Il nous sera impossible de le détruire. Aucun dragon ne peut tuer un autre dragon. »

« Alors, le royaume d'Ombrune est perdu ! »

« Il est en grand péril. La lutte sera terrible. Toutefois, si nous ne pouvons livrer bataille à la bête, rien ne nous empêche d'apporter notre assistance aux humains, ainsi qu'aux dragons qui vivent auprès d'eux ! Et toi, Selka, qui as longtemps habité le monde des hommes avant de venir parmi nous, tu auras un rôle particulier à jouer. »

La dragonne verte acquiesce, pensive. Elle sait déjà auprès de qui elle va chercher conseil.

Sur la plus haute tour du palais de Nalsara, Cham, Isendrine et Mélisande contemplent le lever du jour. Une lumière rose coule sur les champs, les vignes, les bois ; routes et sentiers poudroient, les toitures de la ville prennent des teintes cuivrées.

Tandis que les premiers oiseaux commencent à chanter, le garçon murmure :

– Avons-nous réussi ? Après l'orage qui a éclaté à l'aube, le matin paraît si paisible…

Tournées vers le nord, les magiciennes hument l'air en fronçant le nez :

– Paisible, et pourtant lourd de menaces. Ne sens-tu pas cette odeur…

– … de cendre et de mort ? La bête est en germe dans la griffe.

– En germe ?

– Oui. Que la foudre appelée par Darkat la frappe une deuxième fois…

– … et elle naîtra.

Cham n'arrive pas à y croire. Alors, ils ont échoué ? Et les dragons ? Ils n'ont donc rien pu faire non plus ?

Les magiciennes répondent à sa question muette :

– Le jeune Addrak va renforcer ses sortilèges. L'éclair l'a brûlé, lui aussi. L'éclair a…

– … allumé dans son sang un feu de magie qui ne s'éteindra plus.

Le découragement s'abat sur le garçon. Ils n'y arriveront jamais ! Même avec Cyd ! Darkat devient trop redoutable.

À cet instant, Isendrine et Mélisande ont un comportement imprévisible. Les yeux flamboyants, elles pointent sur leur compagnon un doigt impérieux. Et Cham, abasourdi, les entend asséner :

– C'est à toi, à présent, petit dragonnier-sorcier…

– … d'affronter la bête et de la tuer !

Dans l'obscurité de sa chambre-grotte, Nastrad médite. Il a veillé toute la nuit. Avec ses yeux intérieurs, il a suivi le déroulement de la bataille magique. Il sait que, de nouveau, la victoire est une défaite. Si le monstre n'est pas apparu, il surgira bientôt. Trop de noirs maléfices se sont opposés aux forces lumineuses des humains et des dragons.

« Sauf aux tiennes, jeune dragonnier-sorcier. Malheureusement, tu n'es pas assez puissant. Comment t'aider à le devenir sans te faire basculer du côté du mal ? »

Le chaman plisse le front. Dhydra, la magicienne, se pose sûrement cette question, elle aussi. Et son cœur de mère doit être empli d'angoisse.

Compatissant, le vieil homme se concentre. Il cherche, au-dehors, un être vivant qui porterait à la jeune femme un peu de réconfort.

Il a trouvé ! Au pied de la montagne volette un papillon. Un humble petit insecte, capable pourtant de voyager sur de très longues distances ! Celui-ci ne se doute

pas qu'il va accomplir une mission excep-
tionnelle : contourner les Mornes Monts ;
survoler la mer sans se soucier des vents
contraires ; atteindre, à des miles de là,
une île ressemblant de loin à une baleine –
ce détail, c'est Cham qui l'a confié à Igrid.
Et là…

Nastrad sourit. Là, le léger lépidoptère
saura ce qu'il doit faire !

Debout sur la falaise, Dhydra sent un rayon
de soleil lui caresser la joue. La mer clapote
en contrebas. Un petit nuage rose vogue dans
le ciel clair.

Cette tranquillité est trompeuse, la jeune
femme en est consciente. Avec Cham, avec
les magiciennes – et même avec Nyne ! –,
elle a mené cette nuit un combat immobile
pour soutenir celui des dragons. À eux tous,
ils n'ont pu que retarder le surgissement du
monstre.

« L'étrange orage qui a éclaté à l'aube
dégageait une magie redoutable, songe-t-elle.
Si l'éclair qui a frappé la griffe a aussi atteint

celui qui la tenait, ce dernier a reçu une fantastique décharge d'énergie. »

Frémissante, elle dit à mi-voix :

– Darkat, mon frère, tu vas être encore plus puissant que notre père Eddhor. Et le pire, c'est que…

Elle s'interrompt. Cette idée est trop effrayante. Puis, dans un souffle, elle lâche :

– C'est sur Cham que tout repose désormais.

Avec un gémissement, elle pose les mains sur son ventre, où pèse une boule douloureuse. À cet instant, un mouvement furtif attire son attention. Un papillon ! Le premier papillon d'avril !

— D'où viens-tu, toi ? murmure Dhydra. Aurais-tu traversé la mer ?

Oubliant un instant son anxiété, elle tend un doigt ; le papillon s'y pose, bat lentement des ailes. Et la magicienne sent couler en elle une douceur inattendue.

— Nastrad ! comprend-elle aussitôt.

Seul un chaman, allié aux forces de la nature, est capable d'utiliser un tel messager ! La délicatesse du vieil homme la touche et la réconforte. Un peu.

Le papillon décolle. Dhydra suit des yeux ses gracieuses arabesques, jusqu'à ce que l'insecte ait disparu du côté de la colline. Un nouvel habitant sur l'île aux Dragons ! Et celui-ci, minuscule porteur de courage et d'espoir, est vraiment le bienvenu en ce matin troublé.

8

Sous l'aile du dragon

Darkat est retourné dans sa chambre. Jetant un regard de colère à la griffe, déposée sur une coupelle en argent, il remâche son échec. Il s'est montré assez habile pour apaiser la colère du Conseil des Sorciers. Il a réussi à leur faire croire que la métamorphose se ferait en deux temps. S'il rate son coup la prochaine fois, on ne le lui pardonnera pas. Il n'a jamais aimé les dragons, ces créatures hautaines qui se prennent pour les seigneurs de l'univers. À présent, il les hait. Que la magie des dragons fasse obstacle à la sienne lui est insupportable.

« Mais je trouverai le moyen de vous vaincre, bande de saletés ailées ! » songe-t-il avec hargne.

Il a encore un jour et une nuit. Si, à l'aube prochaine, la métamorphose ne s'accomplit pas, elle ne s'accomplira sans doute jamais. Une chose, du moins, rassure le jeune sorcier : il n'a pas menti en affirmant que l'énergie de la foudre avait envahi son corps. Il la sent pulser en lui. Elle renforce celle qu'il a puisée dans la pierre de Semblance, stockée dans sa main et son pied pétrifiés. Jamais il n'a été aussi sûr de ses pouvoirs. Soutenu par l'esprit de son père, Eddhor, il triomphera !

Toutefois, avant de redescendre dans la crypte, il doit reprendre des forces. Les longues heures passées à élaborer ses sortilèges, sans manger ni dormir, l'ont épuisé.

Darkat se rend aux cuisines. À son entrée, servantes et valets cessent aussitôt leurs activités et se courbent en deux. Leur attitude soumise l'emplit d'une joie mauvaise. Pointant le doigt vers une jeune fille, il aboie :

– Toi ! Apporte-moi des ournes ! Et qu'elles soient fraîchement cueillies !

– Oui, Messire, souffle la demoiselle.

Comme tous les esclaves de la citadelle, elle est vêtue de noir, jusqu'au fichu qui couvre ses cheveux. Ses pieds nus courent en hâte sur les dalles. Elle prend dans un bahut un panier d'osier empli de ces fruits maléfiques. Puis, toujours inclinée, elle revient présenter la corbeille au sorcier. Celui-ci observe la fille avec attention. Elle n'est pas comme les autres. Elle paraît… moins craintive.

– Redresse-toi, ordonne-t-il.

Elle obéit, tout en gardant les yeux baissés.

– Regarde-moi !

Elle soulève les paupières. Ses iris sont si clairs que Darkat en a un choc.

– Quel est ton nom ?

– Anya, Messire.

– Quel âge as-tu ?

– Quinze ans, Messire.

– Où sont tes parents ?

– Je n'ai pas connu mon père ; ma mère travaillait au lavoir. Elle est morte, Messire.

Articulant chaque mot, elle ajoute :

– Morte à votre service.

Tout en parlant, elle fixe sur le sorcier son regard d'eau pâle.

Darkat n'a jamais rien ressenti de semblable. C'est un curieux mélange d'attirance et de malaise. Cette fille lui plaît, et elle lui fait presque peur.

Pour cacher son trouble, il s'empare de la corbeille d'un geste brusque et lâche :

– Reprends ton ouvrage !

Elle se penche de nouveau, retourne s'accroupir près du chaudron qu'elle astiquait. Mais, avant de s'éloigner, elle a jeté au jeune Addrak un coup d'œil en coin. Ce que celui-ci y a lu ressemblait à du défi.

La nuit a été longue et éprouvante pour Cham. D'autant que, malgré tous leurs efforts, les dragons, sa mère, les magiciennes et lui n'ont pu que retarder la naissance du monstre. Mais le pire, c'est ce que lui ont dit Isendrine et Mélisande : que ce serait à lui de... Non, impossible !

À peine redescendu de la tour, il court jusqu'au box de Cyd. Le dragon blanc est allongé dans la paille. Il tourne la tête en l'entendant entrer :

« Te voilà, jeune maître ! »

Le garçon s'abat contre le flanc écailleux. Il est épuisé, mais surtout très perturbé.

– Oh, Cyd, murmure-t-il, je n'en peux plus.

« Une rude nuit, n'est-ce pas ? »

– Pour n'aboutir à rien ! gémit Cham. Darkat n'a jamais été aussi puissant. Il va bientôt lancer sur nous sa nouvelle créature, plus terrifiante encore que la strige. Et les magiciennes disent…

« Je sais ce qu'elles disent, l'interrompt Cyd. Les magiciennes exagèrent toujours. »

– Comment ça ?

« Te crois-tu vraiment capable de tuer ce monstre ? »

– Non…

« Et moi, à quoi je servirais si tu devais faire le boulot tout seul ? »

– À rien…

« Tu vois ! »

Un peu rasséréné, le garçon ajoute :

— Maman nous soutiendra, j'en suis sûr. Et les magiciennes aussi, quoi qu'elles prétendent. Et les dragons sauvages !

« Ça, malheureusement, n'y compte pas trop ! » grogne Cyd.

— Pourquoi ? On les a soutenus, nous !

« Parce qu'il est interdit à un dragon de combattre un autre dragon. »

— Je ne comprends pas. Quel autre dragon ?

« La bête ! Née de la griffe d'un dragon, elle sera de la race des dragons… »

— De la… ? Ah !

Cham n'avait pas pensé à ça. Il a un geste accablé :

— Alors, toi non plus tu ne pourras pas la combattre ?

Le dragon blanc a un petit rire :

« Oh ! Moi, c'est différent. Je ne suis pas un dragon sauvage, je dois obéissance à mon maître humain. »

— Ton maître humain, pour l'instant, il ne tient plus debout ! se plaint le garçon.

Il bâille à s'en décrocher la mâchoire avant de soupirer :

– Si seulement je pouvais dormir !

« Qu'est-ce qui t'en empêche ? »

– Mais… tout ! Messire Onys, les magiciennes ; ils voudront organiser notre défense. Ils voudront encore que je les aide à je ne sais quoi…

« Tu ne les aideras à rien, pour le moment. Tu es trop fatigué. Va dormir ! »

Cham lâche, résigné :

– Pffff ! J'aurai à peine gagné mon lit qu'on viendra toquer à ma porte !

« Tu n'as qu'à t'installer près de moi. La paille est moelleuse, je te tiendrai chaud et je te cacherai. Si on te cherche, on ne te trouvera pas. »

– Tu crois ?

Sans même attendre la réponse, le garçon se laisse glisser sur la paille, se love contre la grande patte repliée du dragon. Tous ses muscles se relâchent. Puis une merveilleuse sensation de bien-être l'envahit, tandis qu'une sorte de tente le recouvre avec précaution : Cyd vient de l'abriter sous l'une de ses ailes.

Deux secondes plus tard, Cham a déjà sombré dans un profond sommeil.

Cauchemar

Selka a quitté le Conseil des Anciens. Le jour s'est levé, et elle a hâte de retrouver un peu de sérénité auprès de son ancien maître. Voilà plusieurs mois qu'il repose au Royaume des Dragons, dans sa tombe de diamant, face à l'océan. Messire Damian a été le premier des dragonniers, le premier humain ami des dragons. Selka ne l'oubliera jamais. Ils ont tant communiqué en esprit, tous les deux, que leur relation continue mystéricusement par-delà la mort. Et aujourd'hui, la dragonne verte a grand besoin de soutien.

Courbant le cou, elle observe, dans la transparence de la pierre précieuse, le visage apaisé du gisant qui semble endormi. « Maître, songe-t-elle, que dois-je faire ? »

Sous son souffle chaud, une buée couvre le diamant. Quand elle s'est effacée, le murmure du vent se change en paroles à peine audibles :

« Tu dois combattre aux côtés des humains, comme tu as combattu jadis avec moi. »

« C'est mon désir, maître. Mais, désormais, j'ai rejoint les dragons sauvages. Il m'est interdit d'attaquer un autre dragon. Et notre adversaire, aussi horrible soit-il, sera de la race des dragons. »

« Ce sont les Addraks, vos adversaires, comme ils sont ceux des humains. Mais, toi, tu ne devras pas traiter en ennemie la créature qui naîtra. »

Selka secoue la tête, étonnée :

« Ai-je bien compris, maître ? »

Le vent chantonne un instant à ses oreilles, sans lui apporter de réponse. Puis le chuchotement reprend :

« Tu l'as dit toi-même, Selka. Le monstre aura du dragon en lui. Il te faudra le rendre au monde des dragons... »

Darkat s'est réfugié dans sa chambre, et il se gave d'ournes. Ces fruits chargés d'énergie magique ont des effets divers sur les personnes qui en mangent. S'ils redonnent force et pouvoirs aux Addraks, ils sont une drogue pour les esclaves qu'ils maintiennent soumis. Ils ont aussi été une drogue pour Cham, un poison qui l'imprégnait de magie noire quand il était sous l'influence de son oncle.

« Si les choses n'avaient pas mal tourné, pense Darkat avec amertume, Cham aurait servi les Addraks. Avec les dons qu'il possède, il nous aurait été précieux... »

Rien ne s'est passé comme le jeune sorcier l'espérait. Et maintenant...

Darkat prend un autre fruit et mord dedans avec férocité.

Maintenant, il doit mener à bien la métamorphose. Il doit se concentrer sur la tâche qui l'attend. Or, il n'arrive pas à chasser de son esprit le regard de la jeune esclave qui lui a apporté les ournes. Ses yeux trop clairs l'ont transpercé.

« Anya..., se rappelle-t-il. Et sa mère travaillait au lavoir... »

Tenir tête à un sorcier ! Où a-t-elle trouvé une telle audace ? Il aurait dû la punir sur-le-champ.

Il aurait dû, mais il ne l'a pas fait.

Il secoue la tête, dans l'espoir de repousser une pensée dérangeante : il ne l'a pas fait parce qu'il n'a pas osé...

Allons ! Il est temps que surgisse la créature qu'il a conçue. La victoire des Addraks sur Ombrune en dépend.

Darkat se lève d'un bond, s'empare de la coupelle où repose la griffe. L'heure est venue, pour lui, de redescendre dans la crypte, de renforcer ses sortilèges. Ce matin, la magie des dragons a empêché la métamorphose. À l'aube prochaine, elle ne s'opposera plus à sa magie noire, car le jeune sorcier sent bouillonner dans son sang la force ardente de la foudre.

« Cette fois, songe-t-il en dévalant l'escalier, je n'échouerai pas. »

Lorsqu'il pénètre dans la pièce souterraine, les chandelles noires s'allument une à une avec une lenteur inhabituelle. Le phénomène, au lieu de l'inquiéter, augmente son assurance.

« Ce lieu lui-même sent combien le rituel que je vais accomplir est important pour l'avenir des Addraks, pense-t-il. Il puise dans la sombre énergie de chaque pierre, de chaque flamme, afin de me soutenir. »

Le jeune sorcier s'approche du sarcophage, dépose de nouveau la griffe sur la lame de Ténébreuse. Alors il se penche,

attentif : le bout de corne n'a-t-il pas réagi au contact de l'acier ? Ne s'est-il pas légèrement rétracté ?

— Vous avez vu, père ? souffle Darkat. La magie des dragons ne supporte pas de toucher votre magie. Elle sait qu'elle n'y résistera plus très longtemps...

Il se redresse, lève les deux bras, renverse la tête en arrière. Et, d'une voix vibrante, il reprend ses incantations.

Cham s'agite dans son sommeil. Il marche en rêve sur une plage de sable noir. Chacun de ses pas soulève une poussière sombre, légère comme de la cendre. Il fait nuit. Une lune énorme déverse sa lumière blanche sur la mer immobile. Le garçon progresse avec difficulté. Il a du mal à respirer ; il a trop chaud. En même temps, une sueur froide lui coule entre les omoplates. Il faut qu'il avance, pourtant. Quelqu'un l'appelle. Quelqu'un qu'il ne veut pas rencontrer. Mais cette rencontre est nécessaire. Un secret doit lui être révélé ; un secret redoutable.

Son cœur cogne douloureusement contre ses côtes. Quand une ombre plus noire encore que le sable s'allonge devant lui, il relève la tête.

Celui qui l'attend est là. Ce n'est pas un être vivant, c'est une statue. Il l'a déjà vue. C'était un gisant taillé dans le marbre, sur le couvercle d'un sarcophage. Il avait une épée entre les mains. Maintenant, il est debout, et cette épée, il la tient levée. Le geste est solennel, pas menaçant. Alors, pourquoi le garçon a-t-il si peur ?

Il regarde autour de lui. Il comprend soudain qu'il n'est pas au bord de la mer, mais au sommet d'un ancien volcan. L'eau noire où la lune se reflète est celle d'un lac qui emplit le cratère.

Bien que la bouche de la statue n'ait pas remué, une question résonne dans la tête de Cham :

« Tu sais qui je suis, petit ? »

Il ne veut pas répondre. Il ne veut pas parler à cet être maudit. Une force inconnue l'oblige à articuler :

– Vous êtes Eddhor, mon grand-père.

Les lèvres de marbre s'étirent légèrement :

« Sois digne de mon sang ! Tu peux faire beaucoup pour la gloire des Addraks ! »

Le sorcier envoie son épée voltiger dans les

airs, la rattrape par le pommeau. Et il la tend au garçon :

« Reçois Ténébreuse ! Je te la lègue. C'est à toi qu'elle revient, à toi qui vas être plus puissant que mon propre fils ! Prends-la ! »

– Non ! refuse Cham. Je n'en veux pas !

Il recule, horrifié.

Dans les yeux sculptés s'allume une lueur mauvaise :

« Tu le dois, Cham ! Si tu ne la prends pas, tu mourras ! Toi, ta mère et ta sœur, vous mourrez ! »

La main de marbre s'avance jusqu'à toucher la poitrine du garçon. À ce contact brûlant et glacé à la fois, Cham bondit en arrière avec un grand cri :

– NON !

Le garçon se réveille en sursaut, le corps moite. Il repousse l'aile qui le recouvre, aspire une goulée d'air. Il a la gorge sèche, le cœur palpitant.

« Un mauvais rêve ? » s'enquiert Cyd en inclinant vers lui son museau blanc.

– Un cauchemar. Tout paraissait… tellement réel !

« C'est le propre d'un bon cauchemar. »

Cham se relève, agacé :

– Ne te moque pas ! Celui-ci signifiait quelque chose, j'en suis sûr ! J'étais face à

Eddhor ; il voulait me donner Ténébreuse.
À moi !

« Ténébreuse ? Hmmmm… Tu as raison,
ce rêve doit avoir un sens. Si j'étais toi, j'irais
de ce pas le raconter aux magiciennes. »

Cham était sur le point de se fâcher. Mais
le dragon a dit ça d'un ton si énigmatique
que son irritation tombe d'un coup :

– Aux magiciennes ? Tu crois ?

« J'en suis sûr. À présent, laisse-moi dormir.
Moi aussi, j'ai eu une nuit sans sommeil.
Et je nageais dans des eaux transparentes
en compagnie de poissons-lyres quand tu
m'as tiré de ce rêve délicieux avec ton saut
de carpe. »

Sur ces mots, Cyd pose son museau sur
ses pattes, ferme les yeux et se met aussitôt
à ronfloter.

– Toi, alors…, grommelle le garçon.

Il enlève la paille accrochée à ses vête-
ments, se recoiffe avec les doigts et il quitte
le box, bien décidé à trouver Isendrine et
Mélisande.

L'œil-de-sorcier

Cham traverse à grands pas une des
cours du palais en rouspétant entre ses
dents. D'habitude, les magiciennes sont
toujours sur son dos, et, bien sûr, au
moment où il a besoin d'elles, impossible
de les trouver ! Le garçon s'est rensei-
gné auprès de messire Onys. D'après le
Maître Dragonnier, elles ne sont plus là.
Après être descendues de la tour, elles se
sont rendues dans leur laboratoire. Elles
y sont restées toute la matinée. On les a
vues, quelques minutes plus tôt, qui fran-

chissaient le rempart en empruntant une petite porte.

« Elles ne dorment donc jamais ? » a songé le garçon avant de demander :

– Où allaient-elles ?

Messire Onys a haussé les épaules d'un geste qui signifiait : « Avec ces dames, impossible de savoir… »

Cette réponse n'a guère éclairé le garçon. Mais, puisqu'il n'a rien de mieux à faire pour l'instant, il a décidé d'aller se balader, lui aussi. Après tout, un peu d'air lui fera du bien. Les quelques heures de sommeil qu'il s'est accordées, dans le box de Cyd, l'ont laissé à moitié abruti.

À son tour, il emprunte une porte de côté, qui donne sur la campagne. Il hésite un instant sur la direction à prendre. Une intuition le pousse à marcher vers une maisonnette : celle de Viriana. Il y avait passé une journée et une courte nuit, avant d'être enlevé par la strige. C'était à peine trois mois plus tôt. Tant de choses sont arrivées, depuis ! Il semble au garçon qu'il a vécu ça dans une autre vie.

Le voilà devant la maison. Il pousse la
barrière, s'avance dans la cour. Rien n'a
changé : le puits, les cordes où sèche le
linge, les poules qui picorent. La porte de
la chaumière est entrouverte. Cham s'approche. Il s'arrête en entendant un bruit
de voix. Isendrine et Mélisande sont là !
Elles discutent avec la servante. Que lui
veulent-elles ?

Intrigué, le garçon tend l'oreille. Ce n'est
pas bien d'espionner ainsi une conversation.

Mais la tentation est trop forte. Et ce qu'il surprend attise sa curiosité.

— Rappelez-vous, Viriana, demande l'une des magiciennes. Lorsque vous avez trouvé Solveig mourante…

— … et qu'elle vous a confié son bébé, la petite Dhydra, ne vous a-t-elle pas remis autre chose ?

La servante répond :

— Elle m'a laissé son baluchon, qui contenait quelques affaires rassemblées en hâte, presque rien…

Silence. Viriana semble réfléchir. Soudain, elle s'écrie :

— Oh ! Il y avait aussi un pendentif ! Une simple pierre noire accrochée à un lacet de cuir. Elle paraissait sans valeur, aussi je n'y ai pas fait très attention.

— Avez-vous…

— … conservé cette pierre ?

— Oui, oui, certainement ! Voyons, où ai-je bien pu la mettre ?

Nouveau silence. Un grincement. Sans doute Viriana ouvre-t-elle la grande armoire, au fond de la pièce. Cham se souvient l'avoir vue quand il a logé dans la petite maison.

Puis la voix de la vieille femme résonne de nouveau :

— Tenez ! La voici !

Alors, le garçon fait presque un bond en l'air, car les magiciennes lancent :

— Entre donc, Cham, puisque…

— … tu es venu jusqu'ici !

Un peu gêné, il s'avance, s'arrête sur le seuil.

Les dames aux cheveux rouges l'encouragent :

— Approche, jeune dragonnier-sorcier, et dis-nous…

— … ce que tu penses de ça !

Elles désignent la pierre noire, qui se balance à son lacet, au bout des doigts de la servante. Cham regarde l'objet. Ce n'est pas un bijou, rien qu'un gros caillou des plus ordinaires. Pourtant, il s'en dégage quelque chose de malfaisant.

— J'en pense… que ce truc ne me plaît pas, marmonne le garçon.

Isendrine et Mélisande ordonnent :

– Prends-le…

– … dans ta main !

À contrecœur, il tend le bras. À peine a-t-il touché la pierre que la pièce autour de lui s'assombrit. Il retire vivement la main, et la lumière revient. Mais il a eu le temps d'apercevoir dans l'ombre un visage taillé dans le marbre et qui pourtant paraissait vivant : celui d'Eddhor !

Encore secoué, il balbutie :

– Quel est ce maléfice ?

– Ce caillou, qui a l'air si banal, est en réalité…

– … un œil-de-sorcier, expliquent les magiciennes.

Le regard de Viriana passe de l'une à l'autre. La servante, effrayée, ne sait plus quoi faire du pendentif. Elle le tient loin d'elle, comme s'il risquait de la brûler.

– C'est quoi, un œil-de-sorcier ? demande Cham.

Au lieu de lui répondre, Isendrine et Mélisande s'adressent à la vieille femme :

– Viriana, étalez sur la table le mouchoir…

– … qui enveloppait la pierre, et posez-la dessus !

La servante obéit. Prenant chacune un coin du mouchoir, les magiciennes recouvrent l'œil-de-sorcier. Cham se sent aussitôt soulagé.

– Emballé dans un tissu blanc…, commence Isendrine,

– … cet objet perd ses pouvoirs, termine Mélisande.

Cham répète sa question :

– C'est quoi, un œil-de-sorcier ?

Les magiciennes désignent les tabourets disposés autour de la table :

– Asseyons-nous ! Cette histoire…

– … est assez longue à conter.

Dès que le récit est terminé, Cham n'a qu'une envie : aller confier à Cyd ce qu'il vient d'apprendre. Il repart en courant à la dragonnerie.

Le dragon tourne vers lui ses yeux d'argent :

« Eh bien, jeune maître, as-tu découvert quelque chose ? »

Le garçon s'assied sur la paille :

– Oui. Je ne sais pas trop quoi en penser…

Et il résume ce que les magiciennes lui ont révélé :

– Quand Eddhor connut Solveig, ma grand-mère, il lui offrit un pendentif, une pierre noire suspendue à un lacet de cuir. Il lui ordonna de le mettre à son cou, la pierre contre sa peau, et de ne jamais l'enlever. C'était, disait-il, un talisman qui la protége-rait des mauvais esprits. Solveig était naïve, et elle était amoureuse. Elle porta la pierre noire. Jusqu'au jour où elle apprit que son amant était un redoutable sorcier.

« La nuit suivante, intervient Cyd, elle accoucha d'une petite fille : Dhydra, ta mère. Ça, tu me l'as raconté. »

– Oui. Alors, Solveig s'enfuit, pour qu'Eddhor ne lui prenne pas l'enfant. Heureusement, elle avait ôté la pierre de son cou ! Car cette pierre est un œil-de-sorcier, qui permettait à Eddhor de surveiller la jeune femme, où qu'elle soit. Cependant, elle ne l'avait pas jetée. Peut-être pensait-elle que l'objet serait utile, plus tard, à sa fillette. Ou peut-être qu'elle n'a pas osé. Elle l'avait enveloppée dans un mouchoir blanc, sans savoir que cela faisait perdre à la pierre ses pouvoirs.

« De toute façon, commente le dragon, le sorcier ne se serait pas aventuré sur les routes d'Ombrune. Il restait toujours à proximité de la frontière, au pied des Montagnes du Nord. »

– C'est vrai. Et à cette époque, Eddhor n'avait pas encore créé la strige. Sinon, il aurait pu l'envoyer à la poursuite de la jeune mère et de son bébé.

« Mais, reprend Cyd, tout cela a-t-il un rapport avec ton rêve ? »

Cham lâche dans un soupir :

– Oui, d'une certaine façon.

« Eh bien, raconte ! »

– Si je passe le lacet à mon cou, la pierre contre ma peau, je communiquerai avec l'esprit d'Eddhor. Parce que je suis du même sang que lui. Je t'ai raconté ce qu'il m'a dit, dans mon cauchemar ? « Sois digne de mon sang ! » Son âme maléfique veut m'attirer du côté des Addraks. Et les magiciennes prétendent que plus je serai proche des sorciers, mieux je lutterai contre eux. Ça me fait peur, Cyd. Je ne suis pas assez fort pour leur résister !

« Seul, tu ne serais pas assez fort. Mais tu n'es pas seul, jeune maître… »

Cham hoche la tête en silence, pas très convaincu. Le dragon demande alors :

« Et cette pierre, où est-elle ? »

Le garçon tire de sa poche un mouchoir noué :

– Elle est là.

11

Le vrai nom de Darkat

Depuis que Nastrad lui a raconté sa vision
d'un dragon blanc, Igrid ne cesse d'y penser.
Tout en crapahutant sur une pente de la montagne, à la recherche d'herbes pour les tisanes,
elle songe :

« Le dragon a éclos, maintenant, c'est sûr.
Et, si Cham a un dragon à lui, alors, il est…
dragonnier ! »

D'une certaine manière, elle l'envie, ce
garçon. Il est magicien, et aussi un peu sorcier.
Il va combattre les Addraks, peut-être en débar-
rasser le pays. Pas à lui tout seul, évidemment,

mais quand même… Elle, qu'est-ce qu'elle sait faire ? Elle a un don pour attirer les animaux ; elle le tient de son grand-père. À quoi ça lui servira, s'il faut affronter les sorciers ? Elle a écouté en cachette ce qui se disait, pendant l'Assemblée des Sages. Elle est d'accord avec Milie : ils auront besoin des talents de chacun. Elle se souvient de la nuit où ils ont chassé du marécage le jeune Addrak et sa saleté de strige. C'est elle, Igrid, qui avait rassemblé les serpents dont Nastrad avait besoin. Seulement, pour effrayer douze sorciers plus puissants que jamais, il en faudrait beaucoup, des serpents !

La rouquine lâche un soupir. Non, elle ne voit pas à quoi son petit talent pourra bien être utile. Si au moins elle communiquait avec les bêtes, comme son grand-père ! Lui, il leur parle et il comprend leur langage.

À cet instant, une voix l'interpelle :

« Hé, p'tite sœur ! Aide-moi, s'il te plaît ! »

Igrid regarde autour d'elle. Il n'y a personne.

La voix reprend :

« Je suis là, derrière toi ! »

Elle se retourne. Il n'y a rien, derrière elle.

Rien que de la rocaille. Ce ne sont tout de même pas les rochers qui parlent !

Un peu inquiète, Igrid demande :

– Où es-tu ? Je ne te vois pas.

« Là ! »

Elle distingue alors un œil brillant, au fond d'un trou. Elle balbutie :

– Qui… qui es-tu ?

« Je suis un renard. La terre s'est éboulée, je ne peux plus sortir de mon terrier ; une pierre trop lourde pour moi en bouche l'entrée. »

Igrid gratte la terre avec ses mains, elle dégage la pierre. Le renard jaillit du trou et disparaît dans les fourrés. La fille a juste le temps d'entendre :

« Merci, p'tite sœur au poil roux ! Je te le revaudrai ! »

Alors, seulement, Igrid prend conscience de ce qui s'est passé : elle a dialogué avec un animal ! Une bouffée de joie et de fierté l'envahit. Il faut qu'elle raconte ça à Nastrad ! Lui qui se désole de ne pas avoir eu un fils qui serait chaman après lui ! Eh bien, c'est sa petite-fille qui le sera !

Balançant son panier empli de plantes odorantes, elle dévale une sente étroite qui la ramène dans les grottes. Son grand-père ne va pas en revenir !

Isendrine et Mélisande sont redescendues dans leur laboratoire. Le matin même, elles ont découvert, en étudiant leurs grimoires, ce qu'était un œil-de-sorcier. L'idée leur est venue qu'Eddhor avait pu en donner un à Solveig. Elles avaient raison. Par chance, la pierre noire n'avait pas été égarée ; elle est maintenant dans la poche de Cham. Le garçon ne devra s'en servir qu'avec une extrême prudence. Et seulement au bon moment. Les magiciennes comptent sur la sagesse de Cyd pour empêcher son jeune maître de courir des risques inutiles. Communiquer avec l'esprit du redoutable sorcier sera dangereux. Ce sera sans doute aussi très instructif…

Le plus urgent, à présent, est de préparer une protection pour les dragons et les dragonniers. Bientôt, l'effroyable créature que le mercure a révélée surgira. Rien qu'avec son cri, elle sera capable de mettre en déroute les combattants les mieux entraînés.

De nouveau penchées sur la cuve où repose le métal liquide, les magiciennes psalmodient à voix basse :

– Qu'audace, vaillance et ardeur…

– … soient un bouclier pour leurs cœurs !

Elles trempent alors les doigts dans le mercure – d'abord leurs dix doigts, puis chacune quatre doigts – et projettent dans les airs des gouttelettes argentées, qui se mettent à flotter au-dessus de leurs têtes.

Prenant une coupe posée sur la table, Isendrine l'élève devant elle. Mélisande frappe dans ses mains. Obéissantes, les gout-telettes viennent se poser dans la coupe.

– Vingt-huit gouttes pour protéger…

– … vingt-huit dragonniers et leurs dra-gons, chantonnent les dames aux cheveux rouges.

D'un air satisfait, elles concluent :

– Le moment venu, portons-leur ce talis-man ! Qu'ils y puisent…

– … la vivante énergie du vif-argent !

Dans les cuisines de la Citadelle Noire, Anya est occupée à sa tâche habituelle : récurer les marmites et les énormes chau-drons. C'est un travail pénible, salissant, où elle se casse les ongles et s'abîme les mains. Ce matin, elle l'accomplit avec une espèce de rage.

La jeune fille n'a pas menti en déclarant qu'elle n'a pas connu son père. Néanmoins, elle sait qui il était. C'était l'un de ces hor-ribles vieillards qui règnent sur la forteresse et maintiennent le pays tout entier sous leur domination. Quand elle a été assez grande pour comprendre, sa mère lui a raconté comment le sorcier s'était entiché d'elle. « J'étais plutôt jolie, alors, a-t-elle reconnu avec un pauvre sourire. L'Addrak m'a gardée un temps auprès de lui. Et puis, quand il a vu que j'attendais un enfant, il m'a renvoyée à mes lessives. J'ai eu de la chance, il aurait pu me tuer... »

Anya lâche un soupir lourd de tristesse. Le sorcier n'a pas tué sa mère de sa main, mais elle est morte un hiver, usée par le travail et le malheur. La fillette avait sept ans. Et il est vrai qu'elle a eu de la chance, d'une certaine façon. « Je ne sais pas pourquoi tu as survécu, a raconté sa mère. D'habitude, les bébés nés d'une esclave et d'un sorcier sont éliminés. Un sortilège les fait dépérir, et ils meurent. Parfois, un garçon est épargné, élevé pour devenir sorcier à son tour si l'un d'eux vient à disparaître. Car les sorciers doivent toujours être douze. J'ai connu une esclave, au lavoir, Nielse ; elle a eu un fils. Dès que l'enfant a été sevré, le sorcier, son père, le lui a enlevé. Elle ne l'a plus jamais revu. Elle en est morte de chagrin. Ça s'est passé neuf ans avant ta naissance. Le petit a reçu un nom d'Addrak. Mais, dans son cœur, Nielse l'avait appelé Jan. »

Anya tire un lourd récipient jusqu'au placard où elle doit le ranger.

« Bientôt, se répète-t-elle pour la millième fois, je m'échapperai d'ici. Et je te vengerai, maman. Je suis fille de sorcier. Un sang maudit coule dans mes veines. J'apprendrai à me servir de la magie noire, et je te vengerai. »

« Surtout, mon enfant, lui a recommandé sa mère mourante, ne révèle à personne tes origines. Les Addraks semblent avoir oublié ton existence, et tu n'as plus rien à craindre de ton père : il est mort.

Le fils de Nielse a pris sa place – il avait alors quatorze ans. Mais si quelqu'un te trahissait, tu serais en grand danger. Nous, les esclaves, sommes incapables de nous rebeller contre nos horribles maîtres. Nous ne pouvons que nous taire, baisser les yeux et obéir. Leurs maléfices sont des liens invisibles qui nous maintiennent dans la peur et la soumission. Toi, tu es différente. Si les sorciers l'apprenaient, ils te tueraient. » Anya a promis. Elle n'a jamais parlé. Non par crainte de se mettre en danger, mais parce qu'elle a tout de suite compris que ce secret était une arme puissante ; elle s'en servirait un jour, s'est-elle toujours dit. Et la rencontre de ce matin a renforcé sa résolution. Elle a bien observé le jeune Addrak, elle a remarqué son trouble. Elle s'est montrée presque insolente ; c'était imprudent. Il aurait pu la punir. Il s'est contenté d'aboyer comme un roquet agressif.

« C'est que nous sommes un peu cou-sins, Messire, songe-t-elle avec un contentement amer. Je sais qui vous êtes : le fils de Nielse. Et je connais votre nom. Votre vrai nom. »

La jeune fille a un pressentiment : ce sorcier-là, elle le reverra. Il reviendra la voir. Parce qu'elle lui a plu...

Une aube noire

La journée s'écoule heure après heure. Puis la nuit tombe ; elle recouvre lentement le Royaume des Dragons, Ombrune, le Territoire des Addraks. Pour beaucoup, ici et là-bas, ce sera une nuit sans sommeil.

Les dragons sauvages veillent, envoyant sans relâche des ondes magiques vers la Citadelle Noire. Ils ne comptent plus empêcher la métamorphose de la griffe. Mais ils espèrent charger le morceau de corne de toute leur mémoire. Ainsi, la créature qui surgira se souviendra peut-être, obscurément, qu'elle appartient au monde des dragons.

Dhydra veille, debout sur la falaise. Les magiciennes aussi, dans leur salle secrète. Toutes les trois, elles ont fait de leur mieux. À présent, elles ne peuvent qu'attendre ce que l'aube apportera. Si le monstre apparaît, elles le sauront. Elles chercheront alors le meilleur moyen de le combattre. Elles devraient pourtant prendre un peu de repos avant les premières lueurs du jour. Mais elles ne veulent pas dormir. Pas cette nuit. D'ailleurs, elles ne pourraient pas.

Au pied des Mornes Monts, Nastrad patiente avec Igrid. Le chaman a quitté la sécurité des grottes, préférant s'installer à l'extérieur. Lui aussi va guetter l'aurore. Il n'en distinguera pas la clarté, mais sa peau en sentira la fraîcheur. Et si une créature de ténèbres jaillit des profondeurs de la Citadelle Noire, il la « verra », comme il a « vu » le dragon blanc de Cham.

Igrid, elle, a refusé tout net d'aller se coucher. Pas question qu'elle attende tranquillement le matin, bien au chaud sous sa couverture en poils de chèvre, laissant son grand-père affronter seul le vent piquant de la nuit ! Et puis, avec ce qui lui est arrivé dans la montagne, elle est trop excitée.

« J'ai parlé avec un renard ! »

Cette petite phrase incroyable résonne en boucle dans sa tête. Quand elle a conté son aventure à Nastrad, celui-ci a lâché avec un sourire taquin :

— Enfin ! Je me demandais quand tu t'en apercevrais !

— Quand je m'apercevrais de quoi ?

— Que tu as ce don.

Déconcertée, Igrid a répliqué :

— Jusqu'à présent, je n'avais jamais compris le langage des bêtes…

— Parce que tu n'écoutais pas. Ce renard t'a eue par surprise, à un moment où tu étais disposée à l'entendre.

Le vieil homme l'a alors serrée contre lui avec tendresse :

– Je suis fier de toi. Et je suis heureux. Tu seras la première femme chamane du Libre Peuple ! Je peux mourir en paix.

– Je ne veux pas que tu meures, grand-père ! s'est-elle récriée.

Nastrad a ri doucement :

– La mort fait partie de la vie, fillette. Mais sois sans crainte ; je ne te quitterai pas de sitôt. Il me reste bien trop de choses à t'enseigner !

Maintenant, assise près du vieil homme, Igrid ouvre tous ses sens aux mille bruissements de la nuit. Elle perçoit la présence de loutres endormies, de chauves-souris silencieuses, de couleuvres furtives, d'araignées d'eau aux longues pattes. Une grenouille coasse, non loin de là. Que raconte-t-elle ? La rouquine a beau se concentrer, elle ne saisit rien.

À mi-voix, elle demande :

– Je n'arrive pas à comprendre cette grenouille. Pourquoi ?

– As-tu quelque chose de spécial à lui dire ?

– Non…

– Eh bien, elle non plus !

Igrid pouffe. Puis elle se presse contre son grand-père. Un instant, elle a oublié qu'ils attendaient un matin lourd de menaces. Levant les yeux, elle scrute le ciel noir où clignotent de rares étoiles. Le jour est encore loin. Ils peuvent encore goûter quelques heures de paix. Quelques heures…

Cyd veille aussi. Chaque fois qu'il s'agite, ses écailles blanches lancent de brefs éclats, comme si elles produisaient elles-mêmes de la lumière. Cela ne dérange pas Cham. Lui, il dort.

Le garçon a décidé de passer la nuit dans le box. Il voulait vivre avec son dragon ces heures d'anxiété, projeter avec lui son esprit vers la Citadelle Noire aux premières lueurs du jour, ressentir avec lui le jaillissement du

monstre. Pour l'instant, il dort. Cyd se garde bien de le réveiller. Son jeune maître a grand besoin de repos. Demain, la lutte commencera, et elle sera sans merci. Cham respire tranquillement. Aucun cauchemar ne trouble son sommeil. Cyd l'a enveloppé d'une bulle invisible, qui le protège des ondes maléfiques. Cette nuit, l'esprit d'Eddhor ne s'infiltrera pas dans les rêves du garçon.

« Et maintenant, grâce à l'œil-de-sorcier, c'est Cham qui pénétrera l'esprit de l'Addrak, s'il le désire », pense le dragon.

Ce sera une arme dangereuse et difficile à manier. Mais une arme puissante.

Cyd hume l'air nocturne. Tout semble paisible. Le dragon sait combien cette paix est trompeuse. D'effroyables sortilèges sont en train de se tisser autour de la griffe de dragon. Et la griffe, encore inerte, se charge peu à peu d'une énergie maudite.

« Plus que quelques heures… », songe le dragon blanc.

Il souffle doucement sur la joue de Cham :

« Dors, jeune maître. Bientôt, tu devras être fort. »

La nuit approche de sa fin. Pourtant, aucune lueur annonçant l'aube ne se lève à l'horizon. Jamais le ciel n'a été aussi noir. Un grondement inquiétant roule entre des nuées plus épaisses que du goudron. Au fond de la crypte où Darkat achève d'invoquer ses sortilèges, l'écho de l'orage qui monte résonne sourdement. Le sorcier tend l'oreille et lâche :

– Le jour, aujourd'hui, ne sera qu'obscurité ! Il doit en être ainsi pour recevoir un être de ténèbres. Car ma créature est sur le point de naître !

Il appuie son front contre le sarcophage, s'adresse au mort qui repose entre les parois de marbre :

– Père, là où tu es, assiste au triomphe de ton fils !

Darkat se redresse ; il est prêt.

À cette heure, les onze autres sorciers sont rassemblés tout en haut du donjon. Il ne manque plus que lui. Et, cette fois, il ne les décevra pas.

Il prend la griffe dans sa main de chair. Il la sent palpiter contre sa peau : la bête, dans sa prison de corne, s'impatiente.

Lorsque Darkat vient se placer au centre du cercle des Addraks, il est accueilli par un profond silence. Le Grand Maître lui-même ne prononce pas un mot. Le jeune sorcier élève la griffe, placée sur sa paume. L'orage gronde plus fort. Soudain, le fracas du tonnerre ébranle les murs de la citadelle. Un éclair aveuglant jaillit des nuées couleur de poix. Pour la deuxième fois, il vient frapper le petit morceau de dragon mort.

Au même instant, une clameur de désespoir monte du Royaume des Dragons. Nastrad agrippe la main d'Igrid et la serre à la broyer. Dhydra, toujours postée sur la falaise, se plie en deux en gémissant, comme si un poing s'était enfoncé dans son estomac. Nyne se dresse sur son lit, haletante, tirée de son sommeil par une vision de cauchemar. Isendrine et Mélisande étendent une main au-dessus du mercure et ordonnent d'une voix rauque :

– Vif-argent, fais-nous voir…

– … ce que nous ne voulons pas voir !

Aussitôt, elles reculent, épouvantées.

Cyd, dans son box, hume l'air et plisse les naseaux avec dégoût :

« Cette monstruosité pue autant que mille rats crevés ! »

Et Cham saute sur ses pieds, les cheveux pleins de paille. Effaré, il s'écrie :

– La bête est née ! Elle a posé sur moi son regard de démon !

Tout en haut du donjon qui domine la Citadelle Noire, les douze sorciers contem-

plent la créature. Elle est gigantesque, noire,
plus effroyable encore que ce qu'ils ont
imaginé. Ses ailes membraneuses sont bor-
dées de griffes acérées. Ses larges pattes
couvertes, comme son corps, d'écailles aux
éclats de métal se terminent par d'énormes
serres de rapace. Elle renverse la tête en

arrière, et un son suraigu jaillit de son gosier :
Schriiiiiiiiiiiiiiiiiiiiiiiiik !

Darkat lui-même en est impressionné.
Il se ressaisit aussitôt. Il sent avec quels liens
solides le monstre lui est attaché : le jeune
Addrak est son maître, comme il est le maître
de la strige !

« Personne n'est plus puissant que moi, désormais », songe-t-il avec orgueil.

D'un geste assuré, il tend la main. La bête courbe son long cou reptilien, approche sa face d'insecte aux énormes mandibules, flaire l'odeur de l'humain qui l'a fait naître.

Lorsque Darkat ose toucher l'espèce de carapace qui protège le front bombé, des ondes sonores le parcourent tout entier. Ce ne sont pas des mots articulés ; pourtant, il comprend leur signification :

« Donne-moi un nom, toi qui m'as créé… »

Les yeux jaunes à la pupille verticale sont fixés sur lui.

Darkat a encore dans l'oreille le cri strident de la créature. Alors, devant les onze sorciers médusés, il déclare d'un ton triomphal :

– Voici le schrik, l'être le plus redoutable jamais conçu par magie noire ! Il m'est soumis. Avec lui, nous vaincrons Ombrune !

À peine a-t-il achevé sa phrase que le schrik déploie ses énormes ailes de chauve-souris. Prenant appui sur ses pattes arrière, il décolle et se met à tournoyer au-dessus de la Citadelle Noire en lançant son épouvantable glapissement : *Schriiiiiiiiiiiiiiiiiiiiiiiik !*

Mais ni Darkat ni les autres sorciers ne perçoivent le désespoir qui vibre dans ce cri.

Épilogue

Cham tremble de la tête aux pieds. Le regard de la bête, froid et implacable, l'a épouvanté. Quel effet lui fera-t-il s'il doit bientôt l'affronter autrement qu'en rêve ?

« Ne laisse pas l'effroi t'envahir, lui recommande Cyd. Ce genre de monstre essaie toujours de terrifier son adversaire avant de le combattre ; il sait que la peur lui enlève tous ses moyens et lui trouble l'esprit. »

– Tu en parles à ton aise, grommelle le garçon.

« Et n'oublie pas une chose importante, reprend le dragon blanc. Cette créature, aussi hideuse soit-elle, est de la race des dragons. »

– Je sais, tu me l'as déjà dit…

Cyd ne se laisse pas perturber par ce ton un peu agressif. Son jeune maître a juste besoin de dissimuler son angoisse.

Le dragon continue :

« La bête est soumise à Darkat. Sans doute le sorcier communique-t-il mentalement avec elle. Mais il n'est pas seul à pouvoir le faire… »

– Ah ? Qui d'autre ?

« Réfléchis, petit dragonnier ! »

D'un coup, Cham comprend :

– Moi, je saurai… ? Et maman ?

Cette révélation le laisse abasourdi. Il n'est pas très sûr d'avoir envie de discuter avec cette espèce de démon, même s'il est de la race des dragons !

Cyd hoche la tête :

« Ça peut se révéler utile. Cela dit, ce qui nous donnerait un atout supplémentaire, ce serait de connaître le nom que Darkat a donné à sa créature. C'est une force, de pouvoir appeler un être par son nom ! »

– Comment veux-tu qu'on l'apprenne ? proteste le garçon. Je ne vais pas aller inter-roger mon cher oncle !

« Pas lui, non. Mais n'y a-t-il pas quelqu'un d'autre qui pourrait te renseigner ? »

Cham écarquille les yeux :

– Tu ne penses tout de même pas à… Eddhor ?

Le dragon le fixe de ses yeux d'argent sans répondre. Le garçon se sent glacé. Instinctivement, il enfonce la main dans sa poche, tâte la pierre enveloppée dans le mouchoir blanc. L'œil-de-sorcier…

Il n'arrive pas à se décider, c'est trop effrayant. Pourtant, Cyd a raison. Appeler la bête par son nom, ce serait créer une relation avec elle. Comme avec n'importe quel dragon…

D'un coup, Cham se décide. Il sort le mouchoir, le dénoue. Il passe le lacet de cuir autour de son cou et laisse la pierre noire reposer contre sa poitrine. Dès qu'elle a touché sa peau, le garçon est environné d'une étrange obscurité. Et le visage de marbre lui apparaît. Ni la bouche de Cham ni celle de la statue ne remuent. Pourtant, un dialogue silencieux s'élève :

« Que me veux-tu, petit ? »

« Je sais que vous savez ce que je veux savoir. »

« Pourquoi te le révélerais-je ? »

« Parce que je suis de votre sang. »

Une lueur s'allume dans le regard de marbre :

« Seras-tu fidèle à ton sang ? »

« Je serai fidèle à qui je dois l'être. Dites-moi quel est ce nom ! »

La vision commence à s'effacer, et Cham croit qu'il ne va pas obtenir de réponse. Puis, à l'instant où le visage d'Eddhor disparaît, il perçoit un dernier murmure :

« Darkat, mon fils, a appelé sa créature "le schrik". »

Une pâle lumière de petit jour baigne de nouveau la dragonnerie. Le garçon ôte vivement le pendentif et l'enveloppe dans le mouchoir.

« Eh bien ? » l'interroge Cyd.

– Le schrik. C'est son nom.

« Le schrik ? Ah… »

Le dragon souffle un petit jet de fumée :

« Sans le savoir, Darkat a choisi le pire des noms. Ou le meilleur, c'est selon. Dans la langue des dragons, ce mot signifie "le maudit" ! »

Retrouve vite le prochain épisode de

Tome 16
Le Dragonnier Maudit